LA GAVIOTA

Sándor Márai

LA GAVIOTA

Traducción del húngaro de
Mária Szijj y J. M. González Trevejo

 salamandra

Título original: *Sirály*

Imagen de la cubierta: Nikos / Corbis

Copyright © Heirs of Sándor Márai, Csaba Gaal, Toronto
Copyright de la edición en castellano © Ediciones Salamandra, 2011

Publicaciones y Ediciones Salamandra, S.A.
Almogàvers, 56, 7º 2ª - 08018 Barcelona - Tel. 93 215 11 99
www.salamandra.info

ISBN: 978-84-9838-357-7
Depósito legal: B-18.852-2011

1ª edición, abril de 2011
2ª edición, mayo de 2011
Printed in Spain

Impresión: Romanyà-Valls, Pl. Verdaguer, 1
Capellades, Barcelona

LA GAVIOTA

Enroscó suavemente el capuchón de ebonita de la pluma estilográfica; lo hizo con gesto lento y cauteloso, casi como el cirujano que coge un afilado instrumento o el químico un frasco que contiene vida o muerte, la sustancia que salva o envenena ciudades enteras. Desde hacía algún tiempo todos sus ademanes eran igual de comedidos. Ahora, sus dedos —largos, pálidos y huesudos, ejercitados en el piano, la escritura, la esgrima y el golf— descansaban agotados sobre el escritorio, como si reposaran después de un duelo, de un torneo duro y varonil. Así reposa la mano un artista cuando ha escrito la última palabra, dado la última pincelada, tocado al piano la nota final, cuando sabe que algo está acabado, algo único que jamás se repetirá.

Sin embargo, su mano descansaba más bien como si hubiera tenido que vencer una gran resistencia, luchar contra alguien. ¿Cómo será la mano de un asesino que acaba de cometer un crimen?, pensó observándose la suya con atención. ¡Qué poco sabemos de nosotros mismos! ¡Qué poco de nuestro cuerpo! ¿Qué podemos saber, pues, de nuestra alma, cuya naturaleza desconocemos por completo y de la que sólo percibimos reacciones? ¿Y del alma de los demás, que conocemos menos aún que la nuestra? ¿Qué podemos saber los hombres unos de otros?... Se inclinó sobre la todavía húmeda letra manuscrita. Buscó el lápiz rojo entre las plumas y los lapiceros perfectamente ordenados del estuche y en el margen del folio escribió con trazo firme: «Estrictamente confidencial.» Cuando acto seguido pulsara el timbre, entregara el texto a la mecanógrafa para que lo pasara a limpio de manera estricta y confidencial, y luego se lo llevara al ministro en un sobre, todo un proceso daría comienzo: aquellas pocas palabras escritas sobre un papel cobrarían vida. En las rotativas las imprimirían con tinta negra; en la radio, una voz hueca las divulgaría con tono grave y solemne. Los rostros de millones y millones de personas se demudarían al leer y escuchar lo que él acababa de escribir. Se miró la mano y constató satisfecho que sus largos dedos temblaban como si hubiera realizado un esfuerzo ímprobo, se hubiera batido en duelo o hubiese ensayado durante una hora una sonata de Beethoven. Sólo después de un duelo tiembla así la mano de un hombre, sólo después de crear algo tiembla así la mano del artista. ¿Qué había hecho él, batirse en duelo o crear algo? En todo caso, únicamente cumplía órdenes. Estas frases se repetirán mañana, se dijo. Sonarán los teléfonos. Una mujer sentada junto a la radio palidecerá al escucharlas, apretará a su hijo contra su pecho y romperá a llorar. En las fábricas, los obreros interrumpirán su trabajo. Las palabras adquirirán vida propia. Penetrarán en los tejidos y circularán por las venas de un enorme organismo, como las gotas de una vacuna por el sistema circulatorio. Estas palabras pondrán en marcha la vasta maquinaria del Estado, y la nación, ese gran organismo con sus millones de delicados capilares y su corazón, empezará a palpitar. Y la inmensa, delicada y compleja maquinaria, compuesta por personas disciplinadas que no son sino simples y diminutos engranajes, comenzará a girar vertiginosamente.

Se levantó, fue hasta la ventana y contempló la ciudad.

La noche anterior había nevado. La nieve siempre le traía a la memoria las ilustraciones de un libro de cuentos. Bajo el manto nevado tiritaban pequeñas casas, y abajo el río arrastraba trozos de hielo. Más allá se alzaba la ciudad con sus palacios y aquel gran edificio coronado con una cúpula. Se acarició la frente con gesto inquieto, como siempre que trataba de disimular mediante sus buenos modales y el protocolo un sentimiento que lo embargaba, que lo hacía sufrir, algo que emergía desde lo profundo, desde los barrenos enlodados de recuerdos y emociones. ¿Qué sucedería al día siguiente cuando se divulgaran aquellas palabras? ¿Y al otro? ¿Y cómo repercutiría en eso turbio y tangible que, en términos cotidianos, suele denominarse tiempo y que posee la peculiaridad de no soltar lo que agarra, como el amante enajenado rodea con un abrazo mortal el cuerpo amado? Aquello que se inicia seguirá siendo presa del tiempo... Uno de los ángulos de la ventana estaba cubierto de escarcha; formaba dibujos abigarrados y muy perfilados, como si un pintor japonés los hubiera trazado para su propio deleite, gratuita y altivamente. Y allá abajo, el río y los edificios. Y más allá, sumidos en la niebla, millones de personas, el país. Y todavía más lejos, en medio de la bruma y el tiempo, otros países, capas que se desvanecen y alzan sucesivamente en ese extraño elemento, el tiempo. Alemanes. Rusos. El mar. Países pequeños, excitados, histéricos. Y en alguna parte, mucho más lejos, más allá de la historia, el individuo con su incomprensible destino: un chino va camino de las tierras de labranza y, entre dos bombardeos, trabaja sereno en los arrozales, sonriente y pensando en un verso o un viejo proverbio.

Tengo cuarenta y cinco años, se dijo. Y contó en voz baja.

A continuación pensó que algún día finalizaría la guerra, y que para entonces ya no sería un hombre joven.

Cruza el despacho, las manos a la espalda.

La estancia está caldeada, pues la calefacción en el ministerio funciona con diligencia. Se trata de un edificio antiguo; salas abovedadas, paredes gruesas. Más que un despacho, parece el salón de tertulias de una casa señorial. Junto a una pared, un tresillo estilo Biedermeier tapizado en seda amarilla. Encima cuelga el retrato del ministro, y en la pared de enfrente, un cuadro de pescadores en el Tisza, observados con seriedad por el ministro. Sobre el escritorio reina un orden escrupuloso. En un rincón, un tiesto de hierro colocado en un soporte muestra vivaces plantas de un verde brillante. No, cuando termine la guerra ya no será un hombre joven.

Cuando estalló... (prefiere no pronunciar la palabra, ni siquiera para sus adentros), cuando estalló, estaba precisamente en ese despacho y eran las nueve de la mañana. Entonces había jurado no moverse de allí, no viajar al extranjero mientras no acabara todo aquello. Pero ¿qué sentido tenía aquel juramento? ¿Qué sentido tiene cualquier juramento? Al miedo y la amenaza los sigue una especie de espasmo, una huida. En circunstancias así, todos buscan algún refugio. No regresará a las ciudades que conoce y ama mientras no lo limpien todo, mientras cada cosa no vuelva a estar en su sitio, en las ciudades pero también en el alma de las personas. Eso es lo que se ha prometido. ¿Hasta cuándo durará su juramento y cuánto lo condiciona? La densa niebla se extiende ante la ventana, por encima del río, el país y el mundo. No resiste la tentación de asomarse de nuevo y contemplarla, como si ésa fuera la única respuesta a la vida. Desde hace dos años, a diario se discute, se presagia y se miente. Cada día desde hace dos años, en casa, en el despacho, en reuniones, en plena calle, con la cabeza fría, a partir de informaciones fundadas, de manera callada o confidencial. Y siempre la misma inseguridad temblorosa tras las noticias fríamente difundidas: la inseguridad que provoca saber que en el mundo también pueden suceder cosas al margen de la voluntad humana... ¡Y cuántas mentiras dichas y escritas! Las que empiezan por «Según me he enterado por una fuente fiable» o terminan con «de acuerdo con estimaciones razonables». Los informes encabezados por «Ayer cierta persona decidió que...». Y la certeza de que esa «cierta persona» no puede haber

13

decidido nada, porque cuanto sucede ya no responde a la voluntad de nadie, sino a fuerzas superiores al hombre.

Esta noche asistirá a la Ópera. Se vestirá de gala e irá a la Ópera. Sonarán las trompetas. Las mujeres, con su piel blanca y lustrosa enmarcada en escotes de terciopelo negro, se sentarán en los palcos y alzarán los impertinentes con manos enguantadas, los ojos de felino brillando en la oscuridad. En la sala abarrotada de público flotarán el calor y los efluvios corporales. En el escenario, un hombre cantará con voz vibrante sobre el amor y el honor. Eso era Europa. Pero ¿cuándo? Ayer o hace dos años. Qué hermoso le parecía todo entonces, las ciudades, los viajes en tren entre paisajes nevados, cordilleras ampulosas y saltos de agua rugientes, la acogedora calidez de los grandes hoteles dotados de iluminación eléctrica, los números de teléfono en la antigua agenda, números tras los cuales había seres humanos que vivían en un piso de Múnich, París u Oxford; cifras que de pronto otorgaban vida a aquellas personas. Y la profusión de estilos pictóricos, buenos libros, mujeres espectaculares, utensilios preciosos, poemas cuya lectura provocaba un hormigueo en el cuerpo. Y como telón de fondo, una mentira y una crueldad inmensas, y millones y cientos de millones, masas cada vez más nutridas, que todo lo copaban y que día a día disfrutaban menos de aquellos cuadros y libros, de las mujeres y los poemas. Y debates en la prensa, en todos los idiomas, en los parlamentos de todos los países, una especie de concilio y congreso incesante que concitaba a diario mayor pasión y alboroto. Y luego, una mañana, aquel extraño silencio. Cuando algo llega a su fin, siempre se impone un silencio extraño: tanto en el mundo como en el corazón de las personas. No, cuando todo termine, cuando se pueda viajar otra vez, ya no será un hombre joven, se repite, obsesionado con ese pensamiento. Como si eso fuera más importante que las palabras que están secándose sobre la mesa. Yo también existo, no sólo existe el mundo. Ya habré cumplido los cincuenta cuando pueda volver a ver el mar. Los barcos zarpan de Trieste por la mañana. Grandes embarcaciones blancas sobre cuyas cubiertas el pasajero avanza hacia su camarote entre *stewards* que lucen casacas también blancas con entorchados dorados. Los pasillos huelen ceremoniosamente a limpio y a pintura. Y, en el camarote, cada cosa se halla en su sitio, como en una ecuación matemática perfectamente resuelta. El barco sale del puerto y en el mundo cada cosa está en su sitio: en el tiempo y el espacio, todo en su sitio. Aquí un meridiano, y tras él, el tiempo y China. Y más allá otro, y tras él, Sidney, ubicada según las reglas de una serie matemática y una fórmula geométrica. En el mundo reinaba un orden asombroso. Y el mar pasaba alternadamente de un gris plúmbeo a un verde esmeralda, como alguien colérico que entre dos ataques de furia se desahoga evocando su infancia. Por la mañana uno se levantaba en la claridad; a través de las persianas del camarote se filtraba el intenso sol de mediodía, como el destello de los puñales dorados de sicarios que trataran de descubrir las riquezas guardadas en una alcoba. Saltaba de la litera, abría las persianas y la brisa marina inundaba el camarote. El barco estaba fondeado y las máquinas zumbaban sordamente, como el corazón de una persona en reposo. En la orilla resplandecía un paisaje de rocas blancas y harapientos hombres negros. Alguien cantaba *gala-gala*. Un automóvil Ford avanzaba bajo las palmeras, a la sombra, y más allá se veían las columnas erosionadas de un templo de tres mil años de antigüedad. En el mundo todo estaba maravillosamente colocado en su lugar.

Pero ¿sería cierto que detrás de todo estaba el pecado? ¡Cuántas veces se ha planteado esta pregunta! ¿Pecados que los hombres pergeñaban y cometían sistemática y conscientemente unos contra otros, pueblo contra pueblo? ¿Pecados o leyes más poderosos que el hombre? No lo sabe. Esa cuestión se le ocurre en la Ópera, en el despacho mientras trabaja o cuando oye a la gente discutir sobre las responsabilidades. Mientras, la vida sigue su curso. No sólo esa otra vida vaga y general, la vida de pueblos y especies animales, de las estrellas y los reptiles, no: también la suya, la que únicamente le pertenece a él. Hace tiempo que experimenta en carne propia este fenómeno, siente el paso del tiempo, como si observara con un microscopio los cambios operados en un organismo vivo. Y es curioso que eso no lo haya entristecido, se dice ahora. Algo ha sucedido y no sólo en el mundo, sino que su piel, sus neuronas, sus glóbulos responden a lo pasado. En estos años también se ha fraguado su propia guerra mundial, su propia historia mundial. Todo ocurrió como tenía que ocurrir, y ahora está allí, en el centro de un despacho abovedado, con cuarenta y cinco años a cuestas y extrañamente tranquilo. No nota que su corazón proteste. Tampoco sentimentalismo alguno. Si no lo matan, si no comete ningún error fatal, si practica deporte y se nutre de buenas lecturas, si no se entrega a algún miedo o pasión enloquecedores, a la desesperación creciente y anhelante ante lo efímero de la juventud, aún le quedan unos diez años aceptables. No demasiado buenos, pero sí lo suficiente. Debemos mostrarnos siempre atentos y corteses también con nosotros mismos. Tendrá cincuenta años cuando pueda volver a ver el mar o China, o aquel salón de té en Oxford. Entretanto, la guerra seguirá su curso y tocará a su fin.

Sin embargo, ahora la guerra está allí, muy cerca. El día anterior le resultaba tan lejana como el destino de otro. En la habitación contigua hay un hombre, un hombre que padece cáncer. Él lo sabe, pero no experimenta ningún sentimiento al respecto; tal vez pesar, eso sí. La víspera, cuando la guerra afectaba al país vecino, leía los periódicos matutinos y negaba con la cabeza. Las tropas avanzaban por algún lugar. París había sido ocupada. La última vez que había estado en la capital francesa, cuatro años atrás, la había visto de noche, por la ventanilla del taxi, camino a la estación de tren. Después de cruzar el patio del Louvre, el automóvil había pasado junto a los parterres de las Tullerías. Era verano, las luces brillaban en la avenida, alrededor del Arco del Triunfo. Entonces todavía era joven, un joven confuso, lleno de esperanza.

Pero ¿qué más quiero de la vida?, se pregunta.

Pulsa el timbre. Entra la mecanógrafa y recoge el escrito que él le tiende.

—Lo quiero para esta tarde —le dice con frialdad. Y añade en tono imperioso—: Es estrictamente confidencial. Por favor, entréguemelo a las cuatro, a mí, en persona.

Cuando vuelve a quedarse solo, se sienta de nuevo al escritorio, cierra los ojos y se lleva las manos a la cara. Permanece largo rato en esa postura. Acaba de empezar, piensa. ¿Qué acaba de empezar? Lo que ayer fue noticia y exaltación, ahora ya está aquí, delante de la ventana, y también afecta al río y las casas que se extienden a lo lejos. La secretaria pasará a máquina el texto, que él entregará al ministro esa misma tarde. Ya no habrá fuerza humana capaz de cambiar lo que se ha puesto en marcha, porque no se puede actuar de otra forma, porque causas, argumentos, opiniones y hechos han obligado a los hombres a desencadenarlo. Sigue así sentado, las pálidas manos ocultándole el rostro.

Como en el despacho no hay espejo, en ese momento no puede ver su rostro verdadero. Tras los gestos protocolarios y disciplinados del hombre entrecano que es, siempre intuye el rostro de un niño. En realidad, sólo conoce a ese niño vagamente, igual que se recuerda la tierna carita de un niño ya fallecido.

Mientras permanece así sentado, una mujer sube la escalinata del vasto edificio a paso vivo, ligera como las aves, como si saltara de un escalón a otro. La mujer se apresura a su encuentro, pero él no lo sabe.

No la conoce, jamás la ha visto. Sigue sentado a la mesa, cubriéndose la cara con las manos. Piensa en la guerra y se esfuerza en imaginar lo que esa palabra supondrá en realidad al día siguiente, y dentro de un año. Quienes hasta el momento sólo habían conocido la guerra a través del cinematógrafo, ahora la conocerán como a una persona que tiene no sólo nombre y reputación, sino también un cuerpo. Le gustaría poder ayudar a alguien. En instantes así, tal vez lo más correcto sería elegir a una persona entre la inmensa población mundial y dedicar todas las energías a prestarle ayuda. A un hombre o una mujer que lo merezca. Pero ahora, de pronto, la palabra «merecer» ha perdido significado, enfrentada a la realidad que están viviendo, pues todos merecen por igual poder cumplir su destino. Y dentro del gran destino colectivo, de la guerra, las personas también tienen su destino particular, el pequeño, el pleno.

Cuando llega al primer piso, la mujer se detiene en el rellano. Mira alrededor con cautela, comprueba que no hay nadie a la vista y entonces, como un ladrón, extrae con gesto rápido la polvera del bolso, con la mano enguantada limpia los granitos de arroz pegados al espejo y luego se empolva la nariz. La operación dura sólo unos segundos. Después, con seriedad y aprensión, se observa el rostro en el diminuto espejo. Está inquieta, en el estómago nota el nerviosismo de los estudiantes antes del examen final. Al oír pasos, recupera rápidamente el aspecto de una dama ceremoniosa. Continúa hacia el piso de arriba, ya más serena, y entonces se cruza con un hombre mayor. Éste, deteniéndose a mitad de la escalera,

19

la sigue con la mirada, una mirada eminentemente masculina. «¡Menuda belleza!», se dice, y, soltando un débil silbido, prosigue el descenso.

Sí, ella también sabe que es «una belleza», y hoy lo sabe más que nunca, de la cabeza a los pies. Esa misma mañana ha dudado largo rato si calzarse las botas para la nieve o no, vista la copiosa nevada de la noche anterior. Finalmente, ha decidido emprender el camino sin botas, con zapatos abiertos de piel de foca y suela fina, y medias de seda color carne, tratando de no mancharlos con el barro de la calle. Ahora, calzada con esos zapatos elegantes, siente frío y tiene piel de gallina, pero precisamente ese día no debe ocultar con las botas sus tobillos ni sus bien torneadas y bellas pantorrillas.

Va a visitar a un hombre a quien no conoce. Se detiene en la segunda planta y descansa unos instantes. En el edificio reina una temperatura cálida y agradable; el pasillo abovedado y blanco parece conducir hacia un monasterio. De las paredes cuelgan antiguos grabados de marcos dorados que representan la ciudad. Todo tiene un aura serena y majestuosa. La mujer suspira brevemente. No ve a nadie. Extrae un papelito del bolsillo del corto abrigo de piel y deletrea un nombre. Luego mira alrededor con ojos miopes, entornando los párpados. Entonces un hombre vestido de librea se le acerca y ella pronuncia el nombre.

Es la primera vez que lo dice en voz alta. Cuando se pronuncia un nombre, fuerzas e hilos desconocidos del universo conectan a dos personas, igual que una central telefónica. El hombre de librea asiente con la cabeza y dice:

—El señor consejero sólo recibe visitas hasta las doce.

—Ésta es mi tarjeta —dice la mujer en mal húngaro—; le ruego se la entregue.

Esa respuesta halaga al subalterno, pues, como todo hijo de un pueblo pequeño, considera un honor que un extranjero se esfuerce en hablar su idioma. Con un amable gesto ofrece asiento a la desconocida y se aleja con la tarjeta en la mano.

Ella se sienta en el sofá tapizado de verde. Se aprieta la mano contra el pecho y nota el corazón acelerado.

Poco después, la acompañan hasta un despacho y la puerta se cierra sordamente a su espalda, con ese silencio amortiguado que lo caracteriza todo en ese enorme edificio de atmósfera caldeada y casi monástica: allí incluso las máquinas de escribir teclean con menos furor, como si una ordenanza infinitamente compleja, un servilismo mudo y un tacto soberbio disciplinaran cada gesto, hasta el tableteo de las máquinas. En el umbral, la mujer permanece inmóvil, rígida, con la docilidad de una torpe colegiala que, tras un ejercicio de gimnasia, esperara permiso para relajar el cuerpo. Contra el vano de la gran puerta blanca, su esbelta figura parece más alta de lo que es.

Él se pone en pie detrás del escritorio, sosteniendo en una mano la tarjeta de ella, con un leve gesto de perplejidad.

Qué hombre más pálido, piensa la mujer, y entorna los ojos, observándolo con gesto frío y levemente hostil.

Seguro que he palidecido de golpe, piensa él, que se halla frente a la cruda luz que irrumpe por la ventana y tiene la impresión de que la sangre no le llega a la cabeza, sino que le fluye «hacia el corazón», aunque sabe que eso no es más que una licencia poética, como ha leído en algún libro de todo punto prescindible. En realidad, ese «flujo» constituye un disparate biológico. La sangre, naturalmente, siempre fluye hacia el corazón, pero la conmoción que está experimentando en ese instante nada tiene que ver con la circulación sanguínea. Uno puede leer esos tópicos sentimentales en cualquier libro. Seguro que estoy muy pálido, se repite, y se aparta discretamente de la luz, porque no quiere que la visitante perciba su palidez.

Pero a continuación le parece que está exagerando. Y entonces se permite sentir una alegría desmedida y nerviosa, como si una mano maliciosa acabara de inyectarle un elixir de buen humor instantáneo. Debo ir con cuidado, piensa, si no quiero provocar un escándalo. Un momento más y, si esta maldita comezón hormigueante no cesa en alguna parte de mi cuerpo, mi alma o mis nervios, si no reacciono y me reprimo, prorrumpiré en risas... ¿Risas? Más bien carcajadas. Reiré a carcajada limpia dando palmadas a la mesa. Me tumbaré en la otomana y, sujetándome el vientre, reiré a mandíbula batiente. Sí, debo contenerme o se armará una buena, los funcionarios de los despachos vecinos acudirán presurosos, avisarán al ministro, llamarán a una ambulancia, me llevarán a un sanatorio mental y me jubilarán. No obstante, cree que no podrá evitarlo, que va a romper a reír, y nota resurgir

22

contra su voluntad palabras casi olvidadas, palabras que brotan dispuestas a expresar abiertamente su buen humor y su sentido juguetón, como si después de un largo exilio pudieran retornar y recuperar sus derechos; unas palabras que se arrellanan en su alma, toman posesión y giran en su mente y su boca: un instante más y las soltará en forma de carcajada, las lanzará sobre la alfombra, ante los pies de la joven, en medio del despacho, ante Dios y el mundo. Estoy exagerando, vuelve a decirse. Me echaré a reír y lo haré como quien se ríe a la vez de sí mismo, del cielo, la tierra y la Creación. Quizá sólo el diablo ría con tanto sarcasmo y desesperación al percatarse en sus horas libres de que su rostro feo y torcido, con cuernos en la frente, se parece al de Dios, aunque sólo sea remotamente.

En cualquier caso, un instante más y estallará en carcajadas, sin remedio. Entonces, la mujer se asustará y huirá de su despacho. Aunque, a fin de cuentas, ¿por qué querría huir? ¿Qué se habrá creído esa mujer presentándose allí, entrando desde la calle, volviendo del pasado y de un espacio aún más temible que el pasado, que está más allá del espacio infinito, donde ni siquiera viven ya cuerpos geométricos, figuras y conceptos, sino que reina un caos turbulento que mezcla cuerpos, figuras, apariencias e impresiones reducidas a fríos recuerdos? Sin duda, no se habría presentado allí sin un motivo concreto. Y por mucho que se ría en su cara, ella seguramente sabrá contestar a cualquier pregunta: por el simple hecho de existir, de vivir y ahora hallarse allí, en su umbral. Así pues, lo embarga una curiosidad infinita, una sensación parecida a la excitación sensual. Al fin y al cabo, no se trata de un fenómeno corriente, pues a la gente no suele ocurrirle que, después de haber enterrado a una persona, ésta emerja de la compleja tumba que es la realidad y el recuerdo, y sobre la que se cierran tres tapas como los sarcófagos de los reyes paganos, y se presente de pronto en el umbral, a la una y veinte del mediodía. Porque justo ahora acaba de fijarse en el reloj y también en el calendario que cuelga de la pared de enfrente: jueves, la una y veinte minutos. ¿Qué supone un jueves para él? En general, un día ni bueno ni malo, indistinto, en el que los ángeles guardianes de su vida no le prestan demasiada atención, y los pequeños demonios, los diablillos malintencionados de la cotidianidad, ni le hacen caso ni le ponen la zancadilla.

Al parecer, los fantasmas visitan el mundo no sólo de noche, piensa, sino también a mediodía, en plena jornada invernal. Este fantasma es de carne y hueso; por cierto, de carne y hueso muy vistosos, constata con sorna. Porque, ahora que las ganas de reír han remitido, no se siente asombrado, sino más bien herido y conmovido. En ese instante comprende algo que hasta entonces ha pasado por alto, y cree experimentar más o menos la misma sensación que la humanidad cuando Copérnico y, más tarde, Darwin y Freud le propinaron un bofetón al afirmar que el hombre no era el centro del universo. En realidad, él siempre ha sospechado algo similar respecto a sí mismo. La Tierra no es el único astro del universo, el hombre tiene parientes poco elegantes en el mundo, y nuestra razón apenas se relaciona con nuestro instinto, de igual manera que Europa apenas se relaciona con Asia. Y que él, personalmente, no es la razón de ser ni el centro del universo, sí, eso lo había sospechado anteriormente. Pero nunca nadie se lo había echado en cara de una forma tan ruda como ahora esa mujer, que sigue inmóvil frente a él. Se siente profundamente herido. Se ruboriza. Y de pronto le parece oír una voz desde el fondo de una habitación, desde la penumbra, una voz levemente ronca y muy familiar, proveniente de detrás de unos cortinajes que ocultan un diván.

—*Tell me, my Heart, is this be Love?...*[1] —pregunta la voz.

—¿Quién escribió eso? ¿Byron? —contesta su propia voz desde el otro extremo de la habitación.

—No, sir —replica la otra, en tono escolar y pedante—. Lyttelton. Un lord que se dedicaba a escribir poemas.

Y luego se hace el silencio. Sólo permanece vivo el verso. Los dos —él y la voz, en la penumbra del diván— reflexionan sobre el amor. Pero eso sucedió hace mucho tiempo.

Hace tanto que, ahora que la voz ha vuelto a resonar en su alma, se siente de pronto extenuado. Jamás había experimentado un cansancio similar. La mujer lleva mucho tiempo en el umbral; aunque tal vez haya pasado sólo un instante. Ya es hora, pues, de dirigirle la palabra. Pero sigue inmóvil, con la tarjeta en la

---

1. «Dime, corazón, ¿es esto el amor?»

mano. Entonces, con lento ademán, se la acerca a los ojos y trata de leerla. No tengo prisa, hay tiempo de sobra, se dice presa de una extraña seguridad, como si por fin todo le estuviera permitido: como si no tuviera que mostrarse cortés, ni cumplir las reglas ni el protocolo, como si ya no fuera necesario apresurarse, decir galanterías o interpretar el papel de caballero refinado. Es uno de los momentos en que la vida echa por tierra los tratados, en que las reglas de juego pierden validez. Y darse cuenta de ello resulta un tanto humillante, pero también conforta en cierta manera. Es posible que un loco se sienta así en el instante inicial, cuando la razón se separa del mundo del orden y las leyes conocidas. Ahora podría sentarme en el suelo y quitarme los zapatos, piensa. Sentiría un gran alivio. Como si, de pronto, cuanto ha estado en su sitio empezara a temblar y tambalearse, sumido en una felicidad fiera y desenfrenada. Porque en el mundo existen no sólo las leyes y las casas y las costumbres, sino también lo opuesto a la ley, y puede suceder que el fallecido salga de su tumba y que quien se pensaba el centro del universo —pongamos por caso, un hombre— sea en verdad un simple juguete en manos de fuerzas irracionales.

En cualquier caso, extrae los anteojos del bolsillo donde guarda el puro, se los coloca con parsimonia y lee la tarjeta.

Claro, se camufla bajo un nombre desconocido, piensa, y lo deletrea en voz baja. Luego, a través de sus anteojos, con la mirada miope de una persona mayor y la tarjeta en la mano, observa a la joven.

—*Mademoiselle...?*

Ella pronuncia su nombre. Su voz suena levemente distinta. Qué astuta, piensa él, y sonríe; siempre lo ha sido. Las personas así no cambian. —Tome asiento, por favor —le dice. Luego se acerca lentamente y se sienta frente a la joven en un sillón tapizado de seda amarilla.

La visitante habla en voz baja y monótona, algo sobrecogida, como si recitara una lección aprendida de memoria. Mide un metro con sesenta y ocho centímetros y pesa cincuenta y dos kilos, constata él. No ha cambiado. Escucha su acento extranjero y asiente con la cabeza. Huelga decir que todo le resulta bastante desagradable, aunque al mismo tiempo lo divierte. Como si uno se asomara al taller donde se elabora la vida, ahora cree divisar por fin parte del secreto del lugar donde nos hacen, a los hombres y las mujeres, con nuestros ridículos secretos. Esta mujer ya vivió y murió una vez. ¿Acaso me habré vuelto loco? ¿Estoy seguro de lo que veo y pienso? Hace cinco años, esa misma mujer ya había entrado en su despacho, medía uno sesenta y ocho y pesaba cincuenta y dos kilos. Quería que muriéramos juntos, pero yo no pude cumplir su deseo. Por supuesto que no; era un deseo descabellado, injustificado. Pero ella aseguraba que la vida es más que una cuestión lógica: también es algo singular, incondicional y carente de sentido, como si Dios de pronto torciera el gesto. Eso también es posible, dijo. Aunque era una mujer creyente, y lloró al decirlo. Todas las mañanas iba a la iglesia, donde rezaba con devoción.

Fue Lutero quien afirmó: *Alle Kreaturen sind nur Gottes Larven und Mummereien.*[2] Esta última es una palabra sombría, y recuerda que se estremeció al leerla por primera vez. La menciona Huizinga en su libro sobre el *homo ludens*, que trata acerca del juego humano. Cuando vuelva a casa, buscará la cita. *Mummereien.* ¿Cómo se traduce esa palabra? Hay algo torcido y deforme en la manera en que el hombre se asemeja a Dios. Después aquella mujer había muerto. Murió sola, la enterraron bien hondo en su tumba, porque hoy en día las funerarias trabajan admirablemente. En los últimos tiempos entierran a mucha gente, incluso sin féretro. Pero ahora ella ha vuelto. ¿O tal vez sólo ha regresado su cuerpo? ¿Y qué era lo más importante, su cuerpo o cuanto emanaba de él, su habla, su sonrisa, su mirada, sus gestos? Sin duda, su cuerpo también era importante, piensa con ecuanimidad. Y siente un temblor nervioso y que se le duermen las manos.

Mientras ella prosigue y él la escucha balbucir atentamente, asintiendo con la cabeza, se le aparece un rostro de rasgos idénticos a los de la visitante. Podría sacar la fotografía de la cartera y, colocándola ante los ojos de la joven, espetarle: «Señorita, usted me está engañando. ¿Qué clase de mascarada es ésta? ¡Y qué irónica falta de educación, presentarse así ante un hombre y ante el mismo Dios! Una dama no reaparece en el cuerpo de una amante difunta.» O algo parecido, vehemente. Podría tal vez llamar al subalterno, ordenarle que avisara a la policía, para

---

2. «Todas las criaturas son sólo simples larvas y máscaras bajo las cuales se esconde Dios.»

que pidieran la documentación a esa bella aventurera... Porque sin duda se trata de una especie de aventurera, de otro modo no habría aparecido disfrazada con el cuerpo de su amante muerta. Sabía que tenía que venir a verme precisamente a mí y justo con ese mismo rostro, piensa. Pero, muchacha, a mí no me engañas por segunda vez. Ni siquiera lo lograste en la primera ocasión... aunque es cierto que al final hubo un instante en que ni yo mismo supe distinguir el juego de la realidad. En cualquier caso, al final, aquella mujer había muerto. ¿Que por qué lo hizo? A la muerte de Talleyrand, Metternich preguntó: «¿Qué pretendía con ello?» La tarde en que al volver de la oficina y hojear el periódico vespertino se había enterado de la noticia de su fallecimiento, él había experimentado un sentimiento similar. Sí, ¿qué pretendía con ello, con su muerte? ¿Qué idea más infantil y desesperada había puesto en práctica contra él? ¿Qué nuevo truco o ardid desplegaba en aquella lucha compleja, penosa e indecorosa que ya duraba tres años? Tardó bastante en comprender lo que ella pretendía con su muerte. Por lo general, los suicidas buscan venganza; todo suicida desea vengarse de alguien o simplemente del mundo: quiere que, una vez muerto, lo lloren y echen de menos. Las cantantes de cabaret así lo entonan: «Ya llorará usted por mí.» No, él no lloró por ella. Si era eso lo que pretendía, entonces la mujer se había equivocado, pues no derramó ni una sola lágrima. Y tampoco la siguió a la muerte, como demuestran los hechos.

Pues ha vuelto, se dice ahora. Y otra vez nota ese profundo cansancio: es antes de morir cuando uno se siente tan cansado. ¿Volverá a empezar todo? ¿La vergüenza, la afrenta y la humillación?... No, querida, piensa con el corazón palpitante, ha llegado usted tarde; cualquiera que sea la razón de su retorno desde la tumba, desde parajes desconocidos, donde Alguien juega espontáneamente con la esencia de la vida, con los rostros y los cuerpos, ya no puede causarme dolor. ¿Me oyes, *my Heart*?; no permitiré que vuelvas a hacerme daño. ¿Cómo te llamabas?

Lee y deletrea el nombre, que suena en una lengua desconocida. La mujer calla. Ha hablado de una beca y de que desea quedarse en el país.

—¿Es usted estoniana, señorita?

—No, señor, soy finlandesa.

Finlandesa, sí. Pues no se parece a las finlandesas. Es alta, huesuda y rubia. Nórdica, sí, aunque más bien sueca.

—Pensé que era sueca.

—Mi madre lo es, señor.

—¿Cómo se llama? —pregunta con curiosidad.

—¿Que cómo se llama mi madre? —replica ella, sonriendo—. Ranghild...

—Discúlpeme.

—Descuide. Pregunte cuanto quiera.

Siguen conversando de esta guisa. La mujer contesta obediente, con escrupulosa precisión, como si estuviera dando sus datos personales a un juez. Su voz le resulta desconocida, no se parece a la de la difunta; carece de ese timbre ronco y enigmático que en la otra voz resonaba como si alguien se riera irónica y quedamente en una habitación a oscuras. Escuchando hablar a esta joven, llega a la conclusión de que la voz no es la misma. La voz es el alma. De momento, piensa, la difunta ha conservado su voz, mientras que esta hermosa aventurera sólo ha logrado sustraerle el recuerdo de su cuerpo. Charlan con tranquilidad, en tono amable y protocolario.

—¿Puedo preguntarle cuántos años tiene, señorita?

—Naturalmente, señor. Cumplí los veintidós en verano.

Mientes, piensa él, aunque asiente con la cabeza. Tu cuerpo tiene más de veinticinco. Lo sé mejor que tú.

—¿Se parece mucho a su madre, señorita?

—Sí, muchísimo —afirma la joven vivamente, y con gesto espontáneo alarga la mano hacia el bolso, como dispuesta a extraer una foto, pero enseguida, turbada, la retrae y la apoya en el regazo. Se sonroja, parece que la pregunta la ha afectado. Tal vez prefiera no recordar a su madre. Se rebulle en el asiento, intranquila. Ahora no parece tan colegial ni sus movimientos resultan tan estudiados como en los primeros instantes. Está claro que quiere decir algo, pero se limita a anunciar lo siguiente—: Mi madre acaba de casarse.

—Entiendo —asiente él.

—Mi padre murió.

Asuntos familiares. La pregunta le sale como si hubieran activado un resorte:

—¿Era farmacéutico?

—¿Farmacéutico? No —dice con extrañeza, clavándole sus ojos grises y con expresión un tanto necia—. ¿Por qué iba a serlo? Era pescador.

Sonríen de nuevo, incómodos. Claro, ¿por qué iba a ser farmacéutico el padre de esta desconocida?

Lo era el padre de la difunta, pero las cosas no se repiten con una similitud tan ridícula. Sin embargo, no se avergüenza de haberlo preguntado, ya no se avergüenza por nada. Jamás en su vida se había sentido tan libre y distendido. Puedo preguntarle cualquier cosa, ya que la vida está jugando conmigo, piensa. Ahora que se han acabado las reglas y alguien juega conmigo, puedo preguntar lo que me plazca.

—¿Pescador? ¿De caña y anzuelo?

—No, señor —responde ella con seriedad—. Pescador con barcos y pescadores. No me parezco a él. Mi padre tenía los ojos azules, llevaba gafas y le encantaba leer. Leyó el *Kalevala* varias veces. Mi nombre también proviene de ahí.

—¿Laine? —pregunta fijándose en la tarjeta.

—No. Aino. Es un nombre que aparece en el *Kalevala*. Por eso le gustó a mi padre.

—¿Qué significa su nombre, señorita? ¿Anna?

—No. Significa «única», «la Única» —responde, y sus ojos gris verdoso de pronto se oscurecen, su voz suena más grave, como si se le hubiera nublado el alma—. La Única —repite como disculpándose.

—Qué nombre más hermoso —asegura él, complacido—. Y Laine, ¿también proviene del *Kalevala*?... Es usted todo un ser mitológico, señorita. Como si acabara de salir de una leyenda nórdica, la Única...

—No, Laine es un nombre terrenal —corrige la joven, y ríe tímidamente—. Un nombre muy corriente, como Nagy o Kovács para ustedes.

—La protagonista de una leyenda no puede tener un apellido común —replica serio.

—«Ola.» En húngaro mi apellido significa «ola». Aino Laine, «la única ola».

—¿La única ola? Francamente hermoso.

—En mi país es corriente —asegura ella, encogiéndose de hombros—, como por estas tierras lo sería llamarse Zsuzsika Kovács.

—Sí, pero, ya por ser extranjera, es casi como si saliera usted de una leyenda. Y, por añadidura, con un nombre tan bonito... ¿Cuándo aprendió el húngaro?

—Hace dos años, en la universidad, cuando decidí venir a Hungría.

—¿Qué pretende hacer aquí? —pregunta ahora con crudeza.

La mujer clava la mirada en las puntas de sus zapatos y manosea sus guantes.

—¿Que qué pretendo hacer aquí? —repite, como si hablara a solas. Su expresión cobra seriedad: el rostro casi se le contrae en una mueca por esa circunspección escrupulosa, casi infantil—. Los finlandeses a veces añoramos venir a este país.

—Señorita, hoy en día la gente no viaja por simple nostalgia —replica él en tono oficial.

—Cierto, tiene usted razón —suspira ella—, pero nosotros, los finlandeses, en verdad añoramos venir a Hungría. Al estallar la guerra, bombardearon la casa que mi padre tenía en la costa. Una de las primeras bombas cayó precisamente sobre nuestro hogar —explica con naturalidad—. Luego murió mi padre y mi madre volvió a casarse. Yo soy maestra y aprendí el húngaro. Busco empleo —anuncia en tono más confidencial, con sencillez.

—¿Y por qué no da clases en su país? —inquiere él con aire severo, aunque en realidad la pregunta significa: «¿Por qué no te has mantenido alejada de mí? Apártate de mi camino, muchacha. Estoy cansado y en paz. Ya te he dicho que, por muy extrañas vueltas que dé la vida, no podrás causarme dolor.»

—Sólo podía haber ido al norte, a la tierra de los lapones, a la oscuridad. Pero yo no puedo vivir si no es en la ciudad. Necesito cuanto ésta ofrece; bibliotecas, teatros... y también las tiendas, claro. Vivir en una aldea del norte entre los lapones... No, señor. Antes prefiero morir.

—¿Por qué no se ha casado?

Ya no usan un tono de circunstancia, sino que hablan de lo esencial, en tono exigente y enérgico, como dos personas que discuten con una sinceridad cruda y altisonante. De repente, han pasado a hablar de lo fundamental, y a ambos les parece natural el tono apremiante.

—Porque era incapaz de soportarlo.

—¿El qué?

—Su forma de ser y sus modales. —Suelta una risita—. Siempre decía lo mismo: «Te ruego que me escuches.» No —dice, y niega con la cabeza—, no lo habría aguantado.

—¿Cuántos años tenía?

—Oh, pobrecillo —responde apenada—, ya no era joven. Por aquel entonces había cumplido los cincuenta.

—¿Cincuenta? A esa edad uno ya no es joven, desde luego. Y ahora, ¿qué pretende hacer aquí, en Hungría?

34

Observando la niebla a través de la ventana, como si se dirigiera a la bruma, responde despacio:

—¿Aquí? Pero si ya se lo he dicho. Conseguir un visado. Un permiso de residencia. El cónsul me aseguró que usted podría ayudarme. También un empleo, si es posible. Hablo francés e inglés.

—Y húngaro. ¿En el norte hay muchos que hablan nuestra lengua, señorita?

La conversación ha virado hacia una especie de interrogatorio: un funcionario entrevista a una mujer finlandesa que solicita un permiso de residencia y busca empleo en Hungría. Un asunto de lo más anodino, piensa, y sonríe.

—Lamentablemente, no es tan sencillo como imagina, señorita. Estamos en guerra. ¿Cómo se le ha ocurrido?... Por favor, vuelva a Finlandia. Allí necesitan a todo el mundo. Podría alistarse como enfermera, sin duda sería más provechoso que deambular por Hungría como un fantasma. Dígame, ¿también siente profundamente el parentesco fino-húngaro cuando está sola en su habitación por las noches? Tal vez podríamos buscar juntos raíces comunes de palabras finoúgrias.

—El húngaro se enseña en la universidad —responde la joven educadamente, levantándose—. ¿Desea preguntar algo más, señor?

Habla fluidamente, con acento extranjero pero sintaxis impecable. Y sin embargo, parece que seleccione con esmero cada palabra entre un repertorio limitado. Habla con cautela, como si temiera que su vocabulario pudiera agotarse antes de tiempo. A veces se alegra de dar con un término y lo recalca, como hace un momento con «ola». Se la veía serena y cortésmente servicial, pero ahora, como si de pronto hubiera entendido o intuido algo, se ha transformado en una dama fría y reservada; y se dispone a irse. Echa la cabeza atrás, se calza los guantes con un ademán indiferente, mundano.

—Discúlpeme —murmura él, al tiempo que piensa: ¡Qué torpe soy! ¿Por qué le pido perdón? ¿Y si se va? Pues que se vaya. Que vuelva a Finlandia, entre los lagos y las raíces ancestrales de su lengua.

—No tiene por qué disculparse —replica ella—. No tengo nada que perdonar. Señor consejero, ¿podré contar con su ayuda? Soy titulada en inglés y francés. Aquí tiene mi documentación —añade, entregándole el pasaporte y dos documentos.

Él los coge, pero no se mueve. No se trata de eso, señorita. Los títulos seguramente son auténticos, pero no se trata de eso. La otra también tenía documentos, unos documentos excelentes y auténticos.

—Haga el favor de sentarse —dice finalmente, turbado.

La joven toma asiento con lentitud. Ahora es él quien observa la bruma más allá de la ventana. Se pone en pie y se acerca al cristal con las manos a la espalda. Cuando termine la guerra ya no seré joven, piensa maquinalmente. Y, por encima del hombro, sin cambiar la postura y mirando la niebla, añade:

—¿Quiere venir conmigo esta noche a la Ópera?

—Sí —responde ella con suavidad pero sin vacilar. Y al ver que él guarda silencio, precisa—: Me gusta mucho la música húngara.

36

Entonces ambos sonríen aliviados, como los bailarines en un baile de disfraces justo en el momento en que revelan su identidad. Él se vuelve, y ella le sostiene la mirada sin dejar de sonreír y alza levemente los hombros como diciendo: «Tú lo has querido así. Aquí lo tienes.»

—¿Y adónde piensa ir ahora? —pregunta él con tono jovial, como si en realidad dijera: «Todo es en vano, ya no puedes causarme mayor dolor.»

—Regreso a la ciudad —contesta ella con idéntica jovialidad, señalando hacia la ventana—. Por el puente.

—La acompaño, si me lo permite —se ofrece él, y pulsa el timbre.

El portero los saluda con una reverencia, la puerta del gran edificio se cierra a sus espaldas. Descienden por el estrecho paseo que discurre en pendiente; la nieve reciente cruje bajo sus pies. Caminan en silencio, la mujer mira alegremente alrededor, aspira el olor de la nieve y la niebla.

Avanzan por el puente, todavía sin hablar. En el centro, un anciano está echando comida a las gaviotas. Se detienen sin decir nada, se apoyan en la barandilla y observan las aves chillonas.

—Están hambrientas —comenta al fin la joven.

Él no contesta. El caudaloso río se ha helado por la noche, y ahora recuerda a una pasión desbordada cuyo ímpetu hubiera sido detenido por una fuerza fría e indiferente. Tal vez, una fuerza superior. En algunos puntos, el agua mana por la superficie congelada, formando pequeñas lagunas verdosas entre el hielo. Las gaviotas se posan en los bordes de esos charcos, y desde ahí levantan el vuelo guiadas por impulsos o llamadas incomprensibles, como si de pronto recordaran algo, como si les hubieran comunicado un mensaje sobre la vida, la comida o las oportunidades de conseguirla. Vuelan en grupos de tres o cuatro, y sus alas casi rozan la barandilla del puente, aunque otras vuelan a mayor altura. Graznan y se lanzan en picado como suicidas. De pronto, toda la bandada, unas treinta o cuarenta, levanta el vuelo como poseída por un pánico repentino y se dirigen hacia el este; después, desde la altura se precipitan hacia el puente, con las alas abiertas, planeando y cerniéndose con cierto aire melancólico.

—Vienen de su patria —comenta él.

—Sí —conviene ella con indiferencia—. Más bien de la patria de mi madre, allá, hacia Noruega, en los fiordos hay muchas. Son muy voraces —añade impasible.

—¿Cree que tienen frío? —pregunta él como si estuviera hablando con un experto.

—Sin duda.

Sus ojos, de un verde grisáceo, observan con neutralidad las aves que pelean por la vida, por el alimento. El anciano les arroja migas metódicamente, cada dos minutos, con amplios ademanes, como un pescador que lanzara el sedal. Las gaviotas ya conocen la secuencia y se precipitan para coger las migas en el mismo instante, con precisión imposible. Hay otras personas que las alimentan; a unos pasos de allí, una solitaria mujer tira trozos de pan hacia los islotes del río. Los viandantes se detienen tiritando, se suben el cuello del abrigo, se apoyan en la barandilla y se entretienen mirando el drama mudo, el mendigar de las gaviotas y su temblorosa acampada sobre la corriente helada.

—La gente de aquí les tiene cariño a las gaviotas —observa la joven—. Lo compruebo a diario al cruzar el puente. Siempre hay alguien que se preocupa por ellas. La mayoría son hombres —precisa.

—Sí. Imagínese de cuán lejos vendrán estas aves. Cruzan países y mares helados. Y descansan aquí, sobre el Danubio. Necesitan reponer fuerzas. Y qué poco sentido tiene su vida, ¿no?

Ella le clava sus ojos fríos y grises y pregunta con voz ronca:

—¿Poco sentido? Están llenas de energía, fíjese con qué intensidad viven.

En efecto, las gaviotas despliegan una gran energía y es evidente que no se preguntan qué sentido tiene la vida de un ave. Llegaron durante la noche procedentes de lejanos países helados, dejando atrás el invierno y la guerra, con un ímpetu mudo, e intuyendo en la infinitud de los cielos la ruta que las conducirá a parajes de clima más benigno y a ríos con fisuras en el hielo. Emiten graznidos rudos y roncos, bastante mecánicos. Qué hermosas parecen... Es la primera vez que él repara en el vuelo de las gaviotas. Llevo décadas cruzando el puente dos veces al día y nunca me había fijado en ellas, piensa. Ahora las veo con los ojos de esta mujer. Ella también tiene ojos de un gris verdoso, como la otra... de pájaro u otro animal.

La joven tose, llevándose la mano enguantada a la boca. Tiene algo de gacela y de bronquítica, piensa él, un ser esbelto, fornido, y a la vez frágil. Pero su mirada es indiferente, casi cruel. Como los ojos de las gaviotas. Como si en ese preciso instante estuviera acechando el alimento, igual que sus compañeras y parientes, las aves llegadas del norte. Su mirada es fría y escrutadora: contempla la niebla, la ciudad, las aves que riñen, con ojos cómplices y vidriosos, como quien sabe algo sobre el destino en general, el duro destino de las aves y los seres humanos. No, esta mujer tampoco es nada sentimental.

—Mire con qué serenidad descienden, como una mano... —comenta entonces la joven, adoptando un tono más suave y plácido.

Los dos observan la bruma. El hombre se asoma al río y, sin mirar a la mujer, dice:

—¿A usted le gusta la serenidad?

—Sí, por encima de cualquier otra cosa.

Y como si no tuvieran nada más que hacer allí, en el puente, emprenden la marcha en dirección a la orilla opuesta. Caminan en silencio mientras las gaviotas vuelven a planear junto a la barandilla. En el lado de Pest ella se detiene y se quita los guantes. Tiene las manos frías, tersas, como objetos de marfil.

—Así pues, esta tarde en la Ópera —dice sonriendo.

—A las siete y media —precisa el hombre—. ¿Puedo pasar a recogerla?

—No —contesta con suavidad—. Ya nos encontraremos... cinco minutos antes de la función, en el vestíbulo.

—Como quiera —acepta él, aunque desairado.

—No debería enfadarse tan rápido, caballero —le advierte ella, echándose a reír y tendiéndole la mano.

—No. Tiene usted razón, no debería enfadarme en absoluto. Cualquiera cosa menos eso.

—Me alegro de que lo sepa.

Se observan con gravedad. Ella mueve la cabeza en un gesto algo tímido, pero al mismo tiempo mundano. Y se aleja.

Tiene jaqueca. Toma café solo y finas rebanadas de pan de guerra, untadas con una crema de aspecto sospechoso, junto a la barra circular de una de esas cafeterías que proliferan morbosamente en los últimos tiempos. El local parece una caja en la que unas manos nerviosas hubieran metido trapos y desechos abigarrados. Alrededor de las mesas cuchichean mujeres ataviadas con chaquetas de colores y abrigos de piel cortos; los hombres —entre dos sándwiches y con un vaso de vermut en la mano— las inspeccionan desde la barra con expresión inequívoca, con las mismas miradas cómodas y seleccionadoras que lanzan en las casas de lenocinio, donde el cliente, al elegir pareja, no se siente inhibido por las convenciones sociales. Es un mercado abierto, una plaza de abastos de la feria del amor, distendida y bulliciosa. Entran algunas mujeres burguesas, entre compra y compra o antes del almuerzo, que responden con expresión impasible a los ojos interrogantes de los hombres; son mujeres que no buscan una aventura mundana, sino simplemente una pareja ocasional, en lo que constituye una huida desesperada y nerviosa, el único sentido y esencia de su vida actual; deambulan entre peluquerías, salones de bridge y cafés, para escapar del hastío de la civilización que, como una lepra, va ulcerando la piel que recubre su existencia. El hastío. Para esas mujeres, su hogar ha dejado de serlo y se ha convertido en una cámara de tortura del tedio, y la cita amorosa no es más que lo que supone una dosis de morfina para los enfermos de cáncer: por unos instantes dejan de sentir su malestar, pero luego, al despertar del breve sopor al que se han habituado, el dolor sordo del hastío no hace sino acrecentar su tristeza. Ese dolor estúpido y cruel que arde en sus entrañas consume sus vidas, y ni la inyección —la bebida, los chismes, las cartas, la aventura amorosa— ni los somníferos son capaces de aplacarlo. ¿Quiénes son esas mujeres y esos hombres que las acompañan, que negocian con ellas, que las observan descaradamente y las escogen?

Mira alrededor distraído; reconoce ciertos rostros, corresponde a algunos saludos. El local es una caja delicada, de caoba, y encierra una sustancia selecta, piensa con ironía. Ese desecho, esa escoria humana es también la que aparece en las revistas, la que muestra las pantorrillas en fotos tomadas en balnearios de moda, la que hace acto de presencia cuando se convence —se obliga con benévola presión— a unos nuevos ricos para que compren la obra de un pintor miserable; es la que ahora llena los teatros lanzando miradas nerviosas y tildando de «lamentables» o «encantadoras» obras ocasionales escritas con esfuerzo o ambición y avidez de éxito; es la que sigue comprando cremas faciales a precios astronómicos, ropa de Viena por la friolera de mil pengós, mientras que jueces ancianos se angustian pensando en cómo convertir en dinero y alimento, en ropa para niños, la villa que se hicieron construir en Göd después de toda una vida de trabajo... ¿De qué te sorprendes?, se pregunta, y mira la multicolor bandada de aves inquietas. Ellos constituyen «la masa». ¿Acaso no lo sabías? Los sabios de la era moderna han escrito estudios inquietantes sobre ella, sobre esa masa que no es ninguna congregación muda y melancólica en el patio de una fábrica, sino una masa que se halla y se palpa por doquier, en la sala de espera del dentista, en los apartamentos de edificios recién construidos, incluso en la soledad. Son masa, aun cuando están solos. Y el alma de un individuo es simplemente un átomo del alma de la masa: ese brote de impersonalidad que crece exponencialmente emite «opiniones» sobre cualquier asunto, carece prácticamente de todo conocimiento real y va buscando una vía de escape, asustado, frívolo, deslumbrante, sin norte ni objetivo... ¿De qué te sorprendes? Esta masa, estas mujeres maquilladas como cadáveres egipcios, estos hombres de mirada dura y malintencionada que lucen sus trajes de última moda impecablemente cortados como si fueran uniformes de una sociedad secreta, forma el sustrato de esta civilización. En todas partes se da la misma fría complicidad. En cualquier lugar se asiste a esta alianza de sangre establecida previamente que, entornando los ojos, intercambia señales sobre el sexo, los negocios y el mundo. Una basura humana bien planchada que posee cuerpo, nervios y capacidad de habla, pero carece de alma. ¿Y qué es el alma? Un órgano, un órgano inmaterial capaz de reaccionar ante Eros, el Eros grande y verdadero, que permite el flujo eléctrico entre el mundo y sí mismo, una gracia y un milagro. Pero ¿qué sabrán éstos sobre Eros?, se dice. Inclinándose sobre la barra, saca el mechero y con gestos lentos y parsimoniosos enciende un cigarrillo. En la mesa vecina alguien habla a media voz sobre «materia» y una mujer se echa a reír lascivamente como si le hicieran cosquillas. «Materia» es la palabra mágica que excita los nervios de esta clase de gente: la materia, o sea, oro, tejidos, café o petróleo, algo que puede cogerse con las manos, que puede esconderse, para luego sacarlo de la nada ante la inquieta miseria humana, por arte de magia, con los trucos de un prestidigitador. La materia. El tejido. La suela del zapato, «calzado con suela de cuero»... Los ojos destellan. Y la materia se trueca por materia, las mujeres entregan su cuerpo a cambio de ropa, brazos pálidos a cambio de fragancias para rociarse el cuerpo. No refunfuñes, se insta a sí mismo. La gente siempre ha sido así. Exhala el humo, mira por encima de las cabezas de mujeres y hombres, observa las sombras que se deslizan por la ciudad invernal. ¿Son, en efecto, todos así? ¿Y siempre lo fueron?

Hace cincuenta años no eran así, se dice, obstinado y severo. Ésta es una especie nueva. El hombremasa. Hace cincuenta años en Europa todos eran tontos o listos, buenos o malos, ricos o pobres según las pautas de su propia vida individual. Pero desde entonces algo ha cambiado. Gracias a los beneficios del alcantarillado, de la profilaxis y otros nobles inventos, según ha ido aumentando la población, las personas han ido renunciando a su personalidad. Las ciudades han crecido como monstruos de cemento apocalípticos y han engullido a los individuos. Éstos, los que tiene delante, ya no son individuos, sino simples datos estadísticos. Ni siquiera ellos mismos consideran su vida y su muerte como propias. Rilke aún decía: *Man muss seinen eigenen Tod haben...*[3] De algún modo, uno se hace a la idea de su propia muerte. Cuando venga a buscarnos —da igual que se apresure o demore—, nos resultará familiar, nos habremos conciliado con ella. Sin embargo, esta muerte estadística que pulula hoy en día entre las masas de los continentes... No, hoy la gente no llega a vivir su propia muerte. Nacen, viven y mueren como células en un cultivo químico. «Pero yo no puedo vivir si no es en la ciudad.» Con qué franqueza lo ha dicho... No, seguro que ya no es capaz de vivir fuera de una ciudad. ¿Y la otra? Aquélla tampoco lo era. Le entusiasmaban estos locales a la última con su aroma a café, los ojos le brillaban al entrar con un libro o pequeños paquetes en la mano en alguno de estos sitios saturados de humo, vaho, olores familiares; sonreía con los párpados entornados con vislumbrante ironía, como si lo despreciara todo, pero se arrellanaba en el mullido sofá con los movimientos parsimoniosos de un delicado animal, se inclinaba sobre la mesita redonda y la taza y, encendiendo el mechero de plata, se entregaba a ese mundo oculto que era para ella la ciudad... No, aquélla tampoco podía vivir si no era en la

---

3. «Cada persona debe tener su propia muerte.»

ciudad. Cuando él la llevaba a la montaña o la costa, siempre llevaba consigo la urbe metida en la maleta. ¿Y yo? ¿Soy aún capaz de vivir lejos de una ciudad? ¿No es acaso esa posibilidad de anonimato el mejor regalo que el hombre europeo ha podido hacerse a sí mismo? El anonimato, los muros, las hermosas torres y la penumbra de las iglesias, esa comunidad humana que todo te lo da y todo te lo quita... ¿Por qué emites juicios? ¿Por qué te engañas? En los últimos mil años, ¿acaso no ha sido en las urbes donde se ha inventado todo lo que ha dado sentido y emoción a la vida? Las mujeres, al menos, son sinceras. Y ahora que las ciudades se han henchido hasta volverse inhumanas, ahora que la vida ha rebasado las dimensiones humanas, ¿esta huida artificial hacia el campo y la naturaleza será sincera? No lo creo, se dice, y pide la cuenta. Pero todavía no se va.

En algunas ocasiones habían quedado allí, en horas vespertinas, antes de ir al teatro o a cenar. Precisamente la había visto en aquel local por última vez, días antes de su suicidio, a las siete de la tarde. Se hallaban en un rincón, sentados en un sofá mullido bajo una ventana. Hablaban de la muerte. La mujer le preguntó si quería morir con ella; lo dijo sin darle importancia. La caja de caoba también estaba atestada de gente en aquella ocasión, así que habló en voz baja, como si estuvieran decidiendo si iban al cine o a pasear. Entonces él contestó como de pasada, igual que responde uno a una pregunta jocosa. No, dijo, no tenía ganas de morir con ella. No pensaba que hubiera llegado la hora de su muerte. Contestó así, distraído, como responde uno a la pregunta incómoda e insistente de un niño, a una pregunta imposible y juguetona, a las siete de la tarde en un café céntrico... Sin embargo, al mismo tiempo era consciente de que aquella pregunta nada tenía de chiquillada ni de malicia. Unos días más tarde se enteró de lo ocurrido... Pero lo sucedido sólo era una consecuencia; en realidad, aquella mujer había muerto en el instante en que formuló la pregunta, porque la realidad de la vida y la muerte radica en las palabras, aquellas palabras pronunciadas allí en el rincón, bajo el vano de la ventana, mientras ella fumaba tranquilamente y tomaba un café. Por supuesto, los suicidios de este tipo no son más que venganzas pueriles y disparatadas; quizá ella ni siquiera sabía contra quién la tramaba. El poeta está en lo cierto: uno no debe precipitar su propia muerte. Con serenidad, él había respondido que aceptaría la muerte cuando viniera a buscarlo, pero que no deseaba morir por voluntad propia, ni con ella ni solo. «¿Qué más quieres de la vida?», había preguntado entonces ella, con gran naturalidad, como cuando se conversa en un salón. «En la vida —respondió él; recuerda perfectamente cada palabra—, uno no pretende más que cumplir con su deber.» Ella rió. Rió por lo bajo, sin ironía, más bien malhumorada, como quien sabe algo y lamenta no poder compartirlo con un hombre obstinado. Y al oír aquella risa, en efecto, él se avergonzó ligeramente. Aquella risa callada ya le llegaba desde la muerte —de eso se enteró al cabo de unos días— y con ella perdió todo su sentido la respuesta varonil y brillante que él había dado. Una contestación como sacada de un editorial de periódico. Uno cumple con su deber... Sin embargo, la mujer sonrió. Y, por primera vez, él no fue capaz de reaccionar ante aquella sonrisa.

Ella sonrió porque a su pregunta él sólo había podido dar una respuesta así de humana. Había vuelto a suspender el examen, como en la escuela, el trabajo, la vida. No, replicó ella, la vida no parece tener sólo sentido humano. Los hechos, el destino de los hombres, cuanto es bueno o malo en la existencia, tal vez posean otro sentido. Ella no sabía contestar a la cuestión, pero sentía con absoluta certeza que todo cuanto la gente teme o cree incomprensible no lo es en simples términos humanos. Uno se queda casi ciego por ser hombre, sentenció sonriendo. Llega a atontarse por ser hombre. Pero ¿no crees que el mundo también existe para un árbol, una roca, con la misma fatalidad que para un funcionario estatal? Es posible, contestó él, pero entonces el objetivo del árbol o de la roca tampoco será otro que cumplir con su deber. Y por lo que respecta al funcionario público... En ese instante ambos callaron. Ella se inclinó hacia delante, inhaló ávidamente el amargo humo a través de la boquilla plateada y lo observó con malicia. Permanecieron así largo rato. Luego la acompañó a casa, en silencio.

—¿Mañana? —le preguntó en la escalera al despedirse, mientras esperaban el ascensor, rodeados de la penumbra de ultratumba que despedía el neón verde azulado.

—¿Mañana? —repitió ella—. No, mañana seguro que no.

—Entonces, ¿pasado mañana?

—Tal vez.

Se estrecharon la mano. Él se fue a casa. Tres días más tarde, se enteró por el periódico de que había muerto tras haber ingerido cianuro. Más adelante, le preguntó a un médico cuánto tardaba en matar el cianuro. «Treinta segundos —dijo el médico. Después lo pensó mejor—: Tal vez un minuto.»

Ella era química, no debió de costarle hacerse con el veneno.

Era química, desde adolescente le había gustado manejar ese tipo de sustancias en el sombrío laboratorio farmacéutico de su padre y, más tarde, en el del profesor, en la facultad... Pero ¿cuánto dura un minuto? Es mucho tiempo, piensa con expresión seria. Un minuto es muchísimo tiempo. Dios creó el mundo en un minuto astronómico y en un minuto muere una persona, si su padre es farmacéutico y si ella misma es química y capaz de conseguir cianuro. No vio su cadáver. La prensa informó de los pormenores del suicidio: la habitación donde se había cometido, la postura en que la habían encontrado, y también que no habían hallado ninguna carta de despedida y que se desconocía la causa del suceso. Medio año después, en una cafetería desierta de Buda, se encontró con el padre de la joven, el farmacéutico. Se saludaron sobresaltados, el padre se levantó de su mesa azorado, se inclinó profundamente, con turbación sorda y presto desamparo, como se doblega uno en presencia de un gran señor o ante la fuerza del destino. Él también lo saludó con una inclinación de la cabeza y se detuvo con el sombrero y el bastón de paseo en la mano, como quien, por un instante, se rinde ante la desgracia humana pero enseguida se aleja presuroso, reclamado por otros menesteres. Sin embargo, al final no se alejó. El farmacéutico lo invitó a su mesa y se sentaron uno frente al otro, callados y atentos.

—El muy sinvergüenza... —dijo al cabo, sin venir a cuento, con voz ronca, y rompió a llorar. Sufrió ese ataque de llanto propio de personas mayores y enfermas. Lloraba sin lágrimas, más bien como si le faltara el aire. Por la joven él sabía que el padre padecía del corazón, y ahora que volvía a verlo, medio año después del entierro, advertía algo miserable y trágicamente impotente en aquel hombrecillo rechoncho, de rostro pálido, que custodiaba y mezclaba todo tipo de medicamentos en su casa, en su farmacia, pero ninguno de ellos había sido capaz de salvar la vida de su hija. Le habría gustado preguntar dónde había conseguido ella el cianuro. Pero el anciano lloraba, asmático, sin lágrimas, ahogándose en una impotencia definitiva, la que se da cuando uno ya no discute ni espera respuestas, simplemente se entrega a la incapacidad y empieza a rugir de rabia y humillación...

—¿Quién es el sinvergüenza? —preguntó él con tranquilidad.

El farmacéutico dejó de llorar. Estaban prácticamente solos en la cafetería, a excepción de una anciana que leía revistas atrasadas en un rincón.

—¿Es que no lo sabe? —preguntó con el asombro de un niño que siente cómo se derrumba la fe y la confianza que tenía depositadas en un adulto—. Pero si usted la conocía... Creí que lo sabía —añadió avergonzado.

Ya no podía preguntar nada, no le quedaba otra alternativa que esperar.

—Pero si ella... —prosiguió el padre con lentitud— pero si me dijo que usted, señor consejero, estaba al corriente de todo. Que sabía que Ilona amaba a G.

Brillaba el sol y la cafetería estaba inundada de una luz cegadora y neutra. G. era el profesor de la joven.

—Creí que lo sabía —repitió el padre mascullando—. El muy sinvergüenza... —volvió a decir en voz baja. Un silencio—. Señor consejero, si un día viene a mi casa —prosiguió, de repente tranquilo, impasible—, le enseñaré las cartas. Sé que usted fue un buen amigo de Ili.

El anciano hablaba ya amigablemente, aliviado, como si hubiera superado el ataque. Él lo miraba boquiabierto. La vida es realmente asombrosa, pensó, como cuando uno despierta y se entera de que le ha tocado la lotería o que la noche anterior le dieron una paliza mientras esperaba al portero en la puerta de su casa. Se despidió estrechándole la mano y se alejó sin decir nada.

Pasaron dos meses hasta que fue a la farmacia a visitar al padre. Entretanto, se había hecho con una fotografía del profesor, recortándola de una revista. En aquellos meses G. impartía clases en una universidad extranjera y la revista había publicado su retrato junto a un artículo que informaba de un nuevo descubrimiento químico. La imagen, naturalmente, se correspondía poco con la realidad, pues se había tomado en su juventud, hacía quince o veinte años, y

representaba al G. treintañero, en el estilo ridícula-
mente solemne de las fotografías de los años veinte.
En aquella imagen el químico, más que un científico,
parecía un artesano vestido con traje de domingo: llevaba el bigote atusado, el cuello de la camisa doblado
y una corbata de lazo fijo. En aquel rostro joven, unos
ojos serios, interrogantes y llenos de recelo observaban el mundo. Durante un tiempo llevó la fotografía
en la billetera. Un día leyó en la prensa que G. dicta-
ba una conferencia abierta al público en un curso de
divulgación, a las seis de la tarde. En la sala mal ilu-
minada se había congregado un público sorprendentemente nutrido. Había jóvenes y ancianos, gente a la
que nunca había visto y que acudía sólo para aplaudir
a una gloria enigmática. Cierta excitación presidía la
espera del conferenciante. El orador llegó puntual.
Subió al estrado a las seis en punto. Sin mirar a nadie
del público, de inmediato se situó ante la pizarra y
empezó a trazar fórmulas químicas con tiza. Luego
se puso a hablar como un poseso, como si estuviera
solo. Ora miraba la pizarra, ora el techo, sin prestar
tampoco la menor atención a quienes llegaban tarde
y buscaban asiento entre las filas de butacas carras-
peando y arrastrando los pies. Era como si el público
le resultara indiferente; sin embargo, en aquella indiferencia no había nada hiriente para los presentes,
que lo escuchaban sumidos en un silencio devoto.
Tenía una voz ronca, como de fumador bronquítico.
Era de baja estatura, con barriga incipiente y papada.
Algunos mechones entrecanos le caían sobre la frente en un desorden rebelde, como si llevara días sin
peinarse. Vestía un sencillo traje gris, pantalones an-

chos y un abrigo ajado por el uso. Sin embargo, cuando aquel hombre desaliñado, rollizo y de pelo cano empezó a hablar con su tono ronco, tan distante de su público como el sacerdote de una religión desconocida que sermonea a los fieles por encima de sus cabezas, obligó a todo el mundo a prestarle atención. No sabía que hubiera tanta gente interesada en la química, pensó él, y al reparar en aquel interés profesional le entraron ganas de sonreír con desprecio. Pero fue incapaz de hacerlo, ni por desprecio ni por otro motivo, pues tenía que prestar atención. No comprendía nada de lo que escribía el profesor en la pizarra y apenas alguna palabra de su charla. Seguramente estaba hablando de procesos de transformación de sustancias raras y muy complejas. Lo único que entendió era que ese hombre iba al grano, mejor dicho, ni siquiera eso, sino que continuaba la conferencia que había llevado consigo a la sala desde su vida y su laboratorio, desde las aulas, y cuanto decía colmaba plenamente su existencia. Si lo despertaran de noche, sería capaz de proseguir con su discurso de igual forma, con idéntica fluidez y la misma voz ronca y huera que, con una especie de pasión contenida, cautivaba a sus oyentes. Iba desaliñado, ya no era joven, pues hacía tiempo que había cumplido los cincuenta. Se asemejaba a un humilde agente comercial que asiste como espectador solitario a una partida de billar en una cafetería de las afueras de la ciudad. Y, no obstante, era distinto a la vez. Era todo eso y quizá mucho más, pero en absoluto el hombre adecuado para Ilona. Podía imaginarla con un científico solemne, una especie de celebridad que jugara al tenis, que presidiera varias aso-

53

ciaciones científicas y viviera en las faldas del monte Gellért en una villa de amplia terraza. Pero aquel hombre aparentaba vivir muy por debajo de ese rango social; para colmo, parecía como si en realidad le resultara de todo punto indiferente lo que fuera el rango social y, en especial, la idea que pudiera formarse la gente de él, un científico famoso. Personas con ese mismo aspecto duermen plácidamente de madrugada en la trastienda de cafeterías bohemias, tendidas sobre arrugados periódicos extranjeros; son antiguos revolucionarios, genios descarriados del ajedrez, ex seminaristas, que pasan la noche entera fumando puros en un local, a caballo entre dos formas de vida, en la desolación más absoluta. Ese químico también parecía formar parte de aquel colectivo, pero estaba su tono ronco, sofocante, que traslucía pasión, igual que se filtra el estruendo apagado de un lejano terremoto tras un paisaje sereno y soleado... Se limitaba a hablar de sustancias químicas, mencionaba números y fórmulas, y cualquiera podía intuir que no pronunciaba ni una palabra de más; pero uno tenía la sensación de que el hombre que peroraba sobre esa realidad objetiva y controlable, al mismo tiempo rugía como una fiera, como si tras su trabajo y sus datos se escondiera otra cosa. Aquel hombre estaba imbuido de pasión. Es posible que sin pasión no pueda darse la genialidad, pensó; y entonces comprendió a la multitud que atestaba la sala, a la muchedumbre agolpada en ella, que escuchaba expectante y al que seguramente le interesaba no sólo las fórmulas químicas, sino en especial —y sobre todo— la persona del conferenciante. Ese hombre serio, con cara de pocos amigos, desaliñado, sabía algo; tal vez no era ninguna casualidad que su nombre fuera famoso en el mundo entero. Pero saber algo siempre conlleva pasión, como si eso constituyera el sentido primario de todo fenómeno humano, la pasión con que un hombre reacciona ante el mundo. Aprovechó el descanso para marcharse. Al bajar la escalinata del enorme edificio, ya no le parecía imposible imaginar que Ilona hubiera amado a aquel hombre, precisamente a él. Pero entonces, ¿qué fui yo para ella?, se preguntó en la puerta, y llamó a un taxi.

Fue a la farmacia. Era un establecimiento abovedado, amueblado con esmero, donde se advertía aún el gusto de la joven por los objetos de porcelana y vidrio en los estantes y armarios, en la exposición de utensilios raros, antiguos y chocantes. Se detuvo ante el mostrador y esperó. Un ayudante y una chica manipulaban polvos y líquidos; en un sillón, junto a una planta polvorienta, aguardaba una joven, con un pañuelo en la cabeza y el rostro hinchado. La puerta del laboratorio estaba abierta y allí se hallaba el padre, inclinado sobre el escritorio, enfrascado en la lectura, con la calva cabeza bajo el haz de una lámpara. Tuvo que esperar unos momentos hasta que le preguntaron qué deseaba. Podría pedir algún medicamento, pensó, y sonrió; pero entonces el padre alzó la vista, oteó con ojos miopes hacia el recinto exterior, reconoció al recién llegado y, lentamente, como si venciera una resistencia mohína, se puso en pie y salió a su encuentro. Sus gestos, su conducta en sí, traslucían una profunda fatiga, como si dijera: «Sé por qué has venido, pero todo es en vano.» Yo también sé que es en vano, pensó él, estrechando la mano del farmacéutico, y a continuación entró con el anciano en el laboratorio. Éste cerró la puerta, con un ademán lo invitó a sentarse y se acomodó también en un sillón de mimbre junto al escritorio, sobre el que se amontonaban facturas y albaranes en un desorden sospechoso; como cuando uno ya no se ocupa de cuanto fue tarea y contenido de su vida. El escritorio parecía un campo de batalla donde se había perdido una lid crucial. De la pared junto al escritorio colgaba el retrato de la hija, bordeado por un fino marco negro. Era la fotografía que había sacado él mismo pocas semanas antes del suicidio y que había hecho ampliar por un fotógrafo profesional. Él también tenía una copia enmarcada en su habitación, sobre la mesa donde ponía los libros aún por leer. El retrato mostraba el rostro y parte del delicado cuello... Los dos permanecieron en silencio, observando la imagen.

Luego, el padre sacó unas llaves y con tembloroso gesto de anciano abrió un cajón, del que extrajo una caja de hojalata que colocó solemnemente en el escritorio, sobre el batiburrillo de facturas y albaranes.

—Son sus cartas —explicó—. No tengo fuerzas para quemarlas. Quiero que las pruebas sigan en mi poder hasta el último momento. —Su tono delataba su obsesión: acuciado por el dolor y la afrenta, había urdido para sí una historia detectivesca en torno a la muerte de su hija—. ¿Quiere leerlas? —preguntó.

—No tengo derecho a hacerlo —contestó él en voz baja.

—Bah, derecho —repuso el farmacéutico, malhumorado e impaciente, en ese tono tan humano de quien tiene prisa porque debe llevar a cabo tareas inaplazables y se enfada porque lo entretienen con torpes pretextos—. No es cuestión de derecho. Él la mató —sentenció.

—He de decirle algo, señor farmacéutico —replicó él, sorprendiéndose, como si oyera la voz de un desconocido—. Y es que no creo que él sea un sinvergüenza.

Las manos blancas y enfermizas del anciano se movían inquietas.

—Y quiero preguntarle algo —continuó con una extraña calma—. ¿Es cierto que en la familia de Ilona ha habido varios suicidios?

El otro apartó los ojos de la foto. Se quitó los anteojos para limpiarlos con lentitud y, en tono imparcial y hastiado, contestó:

—Su madre y un tío.

Ambos miraron el retrato.

Luego hablaron al unísono, con prisas e interrumpiéndose.

—No creo que sea un sinvergüenza —repitió él con firmeza, como si aquello fuera asunto de gran importancia.

—Moriré dentro de poco —dijo el farmacéutico con la misma firmeza, y sus pálidos dedos corroídos por ácidos y ungüentos tamborilearon suavemente sobre la mesa—. No me suicidaré, no. Basta con tres suicidios en una familia. Moriré porque he de morir. Señor consejero, me gustaría que entonces usted leyera y conservara esas cartas —pidió con absoluta seriedad, como quien está dictando un testamento y no le interesa ningún argumento, ninguna objeción.

—Pero ¿de qué me serviría leerlas y conservarlas?
—repuso él, malhumorado.

Entonces el farmacéutico contestó excitado, alzando la voz. Se puso a hablar con el nerviosismo típico de los enfermos de corazón, sofocándose, pálido como un muerto.

—No puede saber cuándo las necesitará —aseguró con voz ronca—. Tarde o temprano la verdad saldrá a la luz, señor consejero. Usted fue amigo de Ili, ella misma me contó que usted era su único amigo. Ahora puedo decirle que a veces confiaba en su amistad. Ili amaba a ese sinvergüenza, pero usted también estaba cerca, era el amigo, el caballero. No, por favor, no me interrumpa. El caballero fiel y correcto, sí... Algunas veces albergué la esperanza de que mi hija recapacitara, de que se curara de esa maldita enfermedad y que ustedes dos llegaran a entenderse. Yo lo sabía todo —presumió—. Ese hombre influía sobre Ili como un mal contagioso. Una enfermedad que mata al paciente, y sin embargo éste no quiere librarse de ella. Hay pacientes y enfermedades así —aseguró con la convicción del experto—. En esos casos sólo cabe un milagro. Yo confiaba en ese milagro —añadió con cierto apuro—. No, por favor, permítame que se lo cuente por fin. Lo sabía todo sobre usted y sobre ese hombre, todo, durante los cuatro años en que Ili estuvo cursando la carrera, pero no podía imaginar que el mal fuera tan grave. ¿Cómo iba a suponer que ese sinvergüenza terminaría matándola? Cuando lea las cartas se enterará de todo. —Respiraba con dificultad, como a punto de sufrir un ataque—. ¿Qué más sé? Pues que se puede matar con mucha delica-

58

deza. Se puede matar a alguien sin veneno y sin armas, sí, incluso sin palabras, es posible hacerlo con el simple comportamiento —se contestó con tono ingenuo y asustado, como si él mismo se sorprendiese de la importancia de su descubrimiento—. Un hombre es capaz de acabar con otra persona si no la deja marcharse y tampoco permite que se acerque por completo a él; la ata a sí mismo y no la devuelve al mundo, y al mismo tiempo mantiene las distancias, no fragua ninguna alianza con ella. La persona así tratada acaba muriendo por haber sido apartada del mundo. Por quedarse sola y, a la vez, no estarlo del todo, porque vive en una especie de atadura y su carcelero no se ocupa de ella... ¿Lo entiende? Sin embargo, con esto no puedo ir a la comisaría. No, la policía nada puede hacer con estas cartas. Son cartas corteses, no hallará ninguna amenaza concreta... pero entre líneas, bajo cada palabra, se intuye la fuerza corrupta, la fuerza con que ese hombre hechizó, ató y luego no soltó a Ili, sin dejar que ella se le acercara del todo. La tenía atada con una correa corta y nunca acabó de soltarla completamente... Así se debatía ella, hechizada. ¿No me cree? ¿No se dio cuenta de nada? Usted la amaba, no lo niegue, lo sé muy bien. Lo sé todo sobre ustedes, tal vez más de lo que usted mismo sabe, incluso más de lo que puede saber ese asesino. Al morir la madre de Ili (se cortó las venas, como los romanos, en un gesto de desconfianza hacia mis venenos, ¿lo sabía usted?), traté de ser para mi hija todo, madre y padre a un tiempo, una persona a quien ella pudiera confiarle todos sus secretos, que nunca la juzgara, nunca la sermoneara, que sólo quisiera ayudarla. Pero no lo conseguí —admitió con humildad, agotado.

Hablaron durante largo rato. El farmacéutico parecía exhausto, su organismo ya acusaba los temblores previos al colapso; aquella mirada fija, la respiración entrecortada, los gestos asustados y vacilantes de sus manos, revelaban que un terror conocido le acechaba el corazón. No obstante, aquel hombre flácido, pálido y rechoncho se mantenía sorprendentemente firme. Conversaron largo y tendido, como si llevaran años esperando aquel encuentro, dos amantes desengañados, el padre y él. Contó al anciano que había visto al profesor y que su recuerdo le resultaba penoso. No obstante, sin duda aquel hombre no era un sinvergüenza, un donjuán, un seductor frío y egoísta... la mera idea parecía disparatada. Era cualquier cosa menos un seductor. Iba desaliñado, ya no era joven, se mostraba un poco patoso, asustado, hosco, solitario, presa de una obsesión o pasión que tal vez fuera su trabajo, algo que sólo él podía llevar a cabo... Sí, era más bien un obseso del trabajo y de una idea fija, pero no de la aventura temeraria. Y parecía no saber nada del mundo, como si viviera en una soledad inviolable, crispado entre fórmulas y diagramas, trabajando con la peligrosa sustancia de la vida y la muerte, ansioso y llevado por una insaciable curiosidad. Ésa era la impresión que le había causado aquel químico. También cabía que fuese una impresión equivocada. Debería conocerlo personalmente, comentó pensativo, porque en ese instante ya no le parecía tan imposible e inimaginable como antes de haberlo visto. Como si él también hubiera sentido el magnetismo que aquel hombre ejercía, como si tuviera algo que ver con él. Por ejemplo —y resultaba bastante curioso—, después de haberlo visto en persona, ya no era capaz de pensar en él con el rencor que había experimentado antes, porque la voz de ese hombre, su porte, su mirada y sus gestos únicamente reflejaban soledad, nada que aconteciera en este mundo podía alegrarlo.

—Es tan solitario como un planeta perdido —sentenció con repentino patetismo.

El farmacéutico guardaba silencio, mordiéndose el labio inferior mientras las manos ya le temblaban visiblemente.

Aquel profesor no era un conquistador que juega con los sentimientos de una mujer, y eso Ili lo sabía muy bien. Entonces comprendió que tenía que añadir algo —y en ese instante también a él le temblaron los labios y las manos—, algo que tal vez no supiera el anciano: Ili no tenía tanta confianza en su padre como éste creía; a veces se refería al profesor, pero siempre de forma tangencial, con un deje irónico, como si hablara de una figura grotesca y extravagante, de un sabio hosco, como el que aparece en las revistas satíricas: un sabio distraído y despistado en lo referente al mundo. Y nunca había mencionado que con ese hombre mantuviese una relación distinta de la normal entre una alumna joven y ambiciosa con su profesor.

—Porque Ili era muy ambiciosa —añadió en voz baja, como excusándose por criticar a la difunta hija, y ambos miraron la fotografía.

El padre asintió con la cabeza, ecuánime, como quien hasta en su dolor más profundo reconoce una verdad. Sí, Ili quería muchas cosas, no sólo la felicidad, sino también algo más, algo que las mujeres, en general, ni buscan ni asumen como algo que les corresponde. Por ejemplo, también deseaba conocer... no sólo los chismes, los usos y tramas mundanos, no sólo pretendía estudiar asignaturas destinadas a señoritas ricas y aburridas, como la historia del arte o la psicología experimental en versión popular. Ili no pretendía matar el tiempo con quehaceres pedantes, sino aprender de verdad; y resulta casi trágico que una mujer tenga dichas pretensiones. Tal vez aquel hombre le había brindado la oportunidad, sugirió agotado, como si su interlocutor hubiera entendido algo. Sin embargo, el anciano, que había guardado silencio, se puso en pie para dar por zanjada la reunión. Muy pálido, le tendió la mano con gesto tembloroso y dijo:

—Discúlpeme. Tal vez tenga usted razón. ¿Ha dicho que ese tipo no es un sinvergüenza?... —Su mano temblorosa quedó suspendida en el aire.

—No lo es —afirmó él con resolución—. Ahora que lo he visto y escuchado, lo sé con toda certeza. No lo es. Es un hombre con un deber que cumplir, alguien incapaz de librarse de su obsesión. No puede escapar a la tarea que se ha impuesto. —Y al tomarle la mano, percibió en su temblor la cercanía de un ataque mortal—. ¿Se encuentra mal, señor farmacéutico? —preguntó, y miró hacia la puerta.

—Puede irse tranquilo. La enfermedad y yo somos viejos amigos. Y respecto a las cartas, ¿no quiere llevárselas?

No se las llevó. Cuatro meses después, el anciano murió. Durante un tiempo estuvo esperando alguna noticia. Tal vez el malogrado farmacéutico habría dispuesto que le mandaran la caja con las cartas... Pero no ocurrió así.

Vuelve a lanzar una ojeada al bullicioso local. Sí, la última vez habían estado allí sentados, en un rincón, y ella le había dicho que no todo lo que sucedía podía juzgarse con parámetros humanos.

Para un taxi en la calle y vuelve a casa. Son las dos y media; si toma inmediatamente el analgésico, se acuesta en la habitación a oscuras y descansa media hora sin moverse, la jaqueca se le pasará y a las cuatro podrá estar de vuelta en el despacho. Debe entregar al ministro el documento. Qué palabra más inocua, «documento». Por la noche la maquinaria se pondrá en marcha.

Lo recibe su ama de llaves, a quien entrega sombrero y abrigo sin mediar palabra; luego le pide un vaso de agua, nada más. Y que desconecten el teléfono hasta las tres y media. La estancia está caldeada, a la blanca luz invernal los muebles brillan como recién barnizados. Se dirige hacia el dormitorio, pero por el camino se detiene junto al escritorio y se inclina sobre el retrato de la joven. Levanta con ambas manos la imagen enmarcada, la escruta con ojos entornados, desde cerca, con atención. Cuando tomó la fotografía, ella estaba sentada allí, sobre el alféizar de aquella ventana abierta. Llevaba un vestido a cuadros. Sería capaz de dibujarla: sentada en el alféizar, la cabeza vuelta, contemplando la plaza, los guantes en la mano. La iluminación era adecuada, la cabeza revelaba todos sus rasgos secretos a la intensa luminosidad. Observa con atención los ojos interrogantes e irónicos, su amarga sonrisa. Había estado sentada allí, jugueteando con sus guantes, mirando la plaza, pensando en el profesor y la muerte. Pero ¡si estaba desquiciada!, se dice, y observa la imagen como si esperara encontrar en aquel último retrato una prueba concluyente, una respuesta definitiva. Una mujer hermosa y sana no se suicida a los veintidós años sólo por un químico viejo y desaliñado, hace falta algún otro motivo para sentirse obligada a ingerir cianuro. Una mujer, sobre todo una ambiciosa como Ili, que paseaba por la ciudad su belleza y su juventud como reivindicando sus derechos, no muere a menos que la obligue algo o alguien. ¿Tenía razón el padre? Tal vez el profesor esté enfermo, es una de esas personas enfermas que se atan a alguien y luego, con una especie de magia negra, le exigen que viva y muera según su capricho. En la foto, la luz se derrama sobre la frente y los entornados ojos de la joven... No, no necesita la prueba que constituye esa imagen, pues en el mundo existe otro ejemplar de Ili. Esta mañana se encontró con él. No sólo los ojos, la forma de la nariz, la frente, los labios y las cejas, sino todo su rostro es una copia perfecta de Ilona. Tal vez sea ligeramente más ruda, más seca, la copia rústica de una delicada obra de arte. Pero ese parecido propio de una ficha policial resulta irritante... sí, casi hiriente. Deja la fotografía en su sitio.

Va al cuarto de baño, se pone el batín y se lava las manos. Luego baja las persianas del dormitorio, toma el analgésico y se tumba en el diván en la habitación a oscuras. El ama de llaves ya ha dispuesto el café caliente junto al sofá. Aún queda un kilo de café sin tostar, piensa distraído. Es algo que seguramente también echará en falta en el futuro. ¿De qué otras cosas carecerán? El mundo agota poco a poco sus existencias, el jabón y la insulina, las suelas de zapato y el café; algo natural cuando también se agota la existencia, la vida masificada. La pregunta es si ahora, cuando el mundo derrocha por todo lo alto, le quedarán al alma humana reservas morales y emocionales. La gente hace acopio de reservas con avidez y locura: el oro de ley, las medias de seda, pero también las emociones. Corriendo a toda prisa cuando se produce una tregua en los bombardeos, se esfuerza histérica en acumular emociones que considera equivalentes al amor y las vivencias. Pero eso es algo en lo que ya tengo cierta experiencia, piensa en la oscura habitación, con los ojos cerrados y apretándose la mano fría contra la frente. La jaqueca se enfrenta ahora al efecto químico del medicamento; él conoce el proceso, es capaz de trazar la línea del gráfico, la forma en que el dolor del cerebelo cede ante la sustancia química, se alivia la punzante presión, dejando un vacío negro allí donde antes quemaba la tenaza del dolor... Sí, esa mezcla de sustancias es de fiar. Fue Ilona quien se la proporcionó. Eso de la química es una cosa muy importante... Y, por tanto, la gente buscará más experiencias y más amor, aunque antes no haya sido modesta y remilgada al respecto. Pero mañana se inaugura un nuevo destino, cuyas variantes se podrán prever mucho menos que hasta entonces se previeron las opciones de la vida y la muerte. Mañana se pondrá en marcha aquel sino denso e impersonal en que el individuo pasará a ser un simple dato estadístico. Un hombre puede darnos pena, pero millones de personas sólo pueden analizarse con objetividad, como los datos impersonales de las grandes cifras... Y la gran cifra, la masa, lo percibe y busca emociones. Dentro de poco los teatros se llenarán, los restaurantes estarán hasta los topes y todos irán en busca de emociones y amor.

—Y tú, ¿qué quieres? —se pregunta en voz alta en la penumbra.

El medicamento ya ha surtido efecto. Lo que quiero es paz, se responde. Ya basta. Si el mundo no quiere paz, no puedo remediarlo. Pero lo que yo deseo es paz, a modo de despedida, independientemente de si esa despedida se halla próxima o puede aplazarse... ¿Que qué quiero? Me gustaría ver de nuevo el mar. Me he vuelto modesto. Ahora me conformaría con recorrer aquel paseo marítimo entre Opatia y Lovran, bajo los laureles. Hasta hace poco lo despreciaba, está demasiado cerca de la ciudad donde vivo, por el camino veía demasiados rostros conocidos; dar un paseo entre Opatia y Lovran y toparme con corredores de Bolsa enfermos del corazón no resultaba refinado ni elegante... Era un esnob. Así que había recorrido ese camino con desgana, rebuscado en Europa con la punta de los dedos. París apenas lo había contentado y en Londres, en el tranquilo mesón de un hostelero suizo, en la esquina de Brompton Road, el viajero había pedido que no le pasaran las llamadas procedentes de Hungría, y una mañana había salido precipitadamente rumbo a Escocia, a un balneario donde se aburriría mortalmente, y luego a un hotel que apestaba a grasa de carnero, en las proximidades de una pequeña ciudad y un bosque inmenso, nebuloso y húmedo, entre gente que hablaba un dialecto incomprensible, que salía a pescar truchas con botas de goma y abrigos que olían a lana; gente que iba a vivir o morir a su manera, de alguna forma enigmática... No puede negarse que la vida resultaba enigmática. Y qué refinados éramos y qué heridos nos sentíamos, como si entre dos guerras lleváramos en el equipaje una especie de pena portátil metida en una bolsa; una pena hecha de poemas, música, libros de historia de la época y de «la crisis» y artículos de prensa; una pena personal destilada con los vestigios de dos mil años de recuerdos de cultura cristiana, que sólo era nuestra, de los iniciados, *made in Europe*. Y no había nada que estuviera suficientemente lejos... Pero ¿lejos de qué?, preguntaban años más tarde con amarga ironía los emigrantes y desterrados. El hombre europeo vivía con una herida, viajaba, escuchaba música, leía libros, amaba y rompía con sus amantes, dentro de su destino europeo, como si lo hubieran herido. Es el sufrimiento del hombre culto que sospecha que los bárbaros ya se hallan ante la puerta tallada, blandiendo las mazas... Fueron muchos quienes escribieron sobre ello, y de diversas maneras. Lo único seguro es que todos los que compartíamos ciertos conocimientos y experiencias y formábamos parte de ciertos ambientes; todos los que teníamos una determinada manera de asearnos por la mañana y acudir por la tarde a una sala de teatro, nosotros, los cómplices, nos sentíamos heridos. Nos alojábamos en un hotel de Escocia, fumábamos tabaco de Virginia dulzón, leíamos los *Diarios* de Samuel Pepys y nos sentíamos heridos, ése era nuestro modo de entretenernos. Pero los demás, los «bárbaros» que estaban ante las puertas, ¿acaso no se sentían igualmente heridos? Tal vez a ellos también les hubiera gustado pescar truchas en Escocia y leer a Pepys junto a la chimenea del vestíbulo de un viejo hotel con muebles tapizados de cuero... Pues ahora se ha acabado eso de sentirse herido. Ahora todo es un conjunto indiferenciado, todos compartimos el mismo destino, en la vida y la muerte. Y casi resulta reconfortante.

Al menos, se le ha pasado el dolor de cabeza. Algo que hasta entonces —pese a su horror y su verosimilitud— ha constituido una imagen lejana, mañana se convertirá en realidad, en los próximos días podrá palparse y tocarse. ¿Cómo será? Sin duda, tan horrible como lo han imaginado a raíz de las noticias, pero al mismo tiempo mucho más sencillo. Ahí radica la maravilla de la vida, el orden fabuloso de la realidad hace que en la práctica todo resulte más sencillo, tanto la muerte como la guerra. Tengo cuarenta y cinco años, y podría pensar que en el último instante la vida a todos satisface, y en lugar del mar, me devuelve el sentimiento del amor, me envía de nuevo aquella mujer cuyo cuerpo, cuya sonrisa y cuya mirada hicieron vibrar mi carne y mi alma. Es un regalo de despedida... Si creyera en la mística lo entendería así. Pero es mucho más probable que se trate de una mera casualidad; una casualidad aunque resulte tan real, absurda, estúpida y novelesca. Como si la mujer a quien hemos amado regresara de la tumba. Una mujer a quien hemos amado, que estuvo acostada aquí, en esta misma habitación, en este mismo lecho, y que preguntó en inglés en la penumbra, con voz distante y apagada: *Tell me, my Heart, is this be Love?*... Y de quien más tarde supe que no sólo era aquella Ilona con quien hablaba por teléfono y me citaba, con quien escuchaba música en el auditorio de la escuela superior, en cuya compañía veía películas americanas desde los palcos de los cines de estreno, cuyo cuerpo creía conocer como sólo pueden conocerse unos mellizos, por recuerdos anteriores a su nacimiento. No, Ili también era otra cosa. Tenía su destino y su propia muerte, y un día escapó con ella, como si huyera con un seductor ocasional. Y guardaba un secreto, un secreto triste y confuso en la gran ciudad, un secreto que custodiaba con celo, pero que no se llevó a la tumba; la tierra o la caja de hojalata lo escupió... Un triste secreto venido del otro mundo. ¿Qué buscaba Ili en compañía de aquel hombre solitario? ¿Qué era lo que él, el amante, no era capaz de brindar a aquella mujer? A veces había llegado a pensar que tal vez buscara a su madre, a la madre enajenada que se había alejado de Ili para refugiarse en la muerte y había herido a su marido, al farmacéutico, cuando en el momento postrero, en vez de recurrir a los venenos de la botica de la familia, había optado por la cuchilla de afeitar. El farmacéutico se había mostrado herido al comentar el método escogido, como si fuera eso lo que más le doliera en la decisión de su mujer. Así es la gente. Pero Ilona, por su parte, era una buena hija, ella sí confiaba en el veneno del padre, ¿o más bien en la química, su profesión? Sólo la muerte ha revelado su secreto. Ili nada decía al respecto, ni siquiera aquella noche en que volvió de ver al químico y le habló acerca del «maestro» con un deje de ironía, como si se tratara de un superior imprevisible, de quien se aprende mucho pero en quien no se puede confiar del todo por ser un tipo excéntrico, ya mayor. ¿Es posible que buscara en el químico a su propia madre? Se trata de una pregunta descabellada que uno sólo puede plantearse estando en una habitación a oscuras. Pero el tiempo todo lo trae a la luz, todo lo plantea, saca a relucir todas las posibilidades, las sencillas y las absurdas, y cuando se ha acabado ese tiempo, ese elemento enigmático con el que cualquier cosa adquiere un nuevo sentido, a veces él mismo llega a preguntarse qué es el amor, qué busca una persona en brazos de otra... Y cada vez resulta más penoso y doloroso responder a esa cuestión. «Dime, ¿es esto el amor?...» Qué pregunta tan sencilla. La planteó así un poeta, mejor dicho, un lord que asimismo se dedicaba a escribir poesía, según supo por boca de Ili. Una pregunta sencilla, que tal vez ella había formulado con cierta ironía, tendida sobre el diván, relajada en una intimidad tan antigua como la humanidad, perdonando, mostrándose generosa, pero con ironía y sintiéndose herida a la vez, como si dudara del sentido real de la situación y las sensaciones que experimentaba. Una pregunta infernal, que él comprende sólo ahora, años más tarde, cuando la persona que la formuló ya se halla ausente; la habitación sigue ahí y también el lecho y la ventana en cuyo alféizar ella se había sentado, y la fotografía con la espigada figura pensativa. Pero la pregunta sólo la entiende en ese instante; hasta ahora únicamente ha sido un verso, un lugar común de rítmica entonación. Al parecer, Ilona lo había preguntado en serio, piensa. Porque la forma de plantearla delataba desilusión, era la pregunta desengañada del ser que, perdonado y obsequiado, de repente parece reanimarse; la pregunta de la criatura que de pronto despierta en el caos de la vida común de las criaturas, tumbada en un diván, en casa de un hombre, y, más allá del hombre y la situación, dirige a Dios esa pregunta ingenua, irónica, alarmada y dubitativa. Una pregunta infernal, sí, al igual que cada palabra, cada destello de la conciencia que se dirige hacia el infierno en los instantes del amor. Uno tiene cuerpo, alma y también instintos; y luego está esa pregunta que, más allá de la situación terrenal, se dirige a los estratos subterráneos de la existencia. Porque también existe el infierno. Por ejemplo, el día de hoy está siendo infernal... Ahora debe llamar a un coche, pues en breve está citado con el ministro. Luego la Tierra girará... dará vueltas con los vivos y los muertos, y en ese mundo que ahora resulta cercano y familiar mañana todo habrá cambiado radicalmente. Hoy se han abierto las puertas del averno, piensa sonriendo con sarcasmo, porque la imagen es de una solemnidad ridícula. Pero el escalofrío que le recorre el cuerpo le advierte que esa imagen rimbombante significa algo, que aun siendo patética no deja de ser real. Como si todo se hubiera torcido: la paz ha dejado de serlo y los muertos —con una mueca malvada— siguen en la tierra, vuelven a ella. La realidad le muestra un rostro nuevo... un rostro que le resulta palpitantemente conocido. Pues asúmelo, se dice, y se entrega como en una vorágine al deseo y al oscuro sopor de aquellos minutos. Ahora está viviendo de

71

verdad, con mayor ímpetu, interés y profundidad, y de una forma más novelesca que en cualquier momento de su anterior existencia; vive de modo más verídico e interesante que cuando viajaba por los bosques de Escocia o vivía entre los brazos de mujeres; vive de manera más real que entre los angelicales decorados de la infancia, de tonos azulados claros y rosáceos. Ahora, con cuarenta y cinco años, está viviendo esa tarde en que la existencia ha enseñado su rostro de muecas torcidas, una mezcla de rostros vivos y muertos, una máscara espectral elaborada en el laboratorio de la vida y la muerte, el rostro reencarnado del amor que ha retornado rudo y enigmático, en su realidad biológica y en una inverosimilitud superior a la propia vida, a la sombra del oscuro aleteo de la muerte, del brazo fuerte y triste de la guerra... En algún lugar del mundo, o del infierno, ha resurgido un rostro que para él significa el amor y porta su mensaje. Pero ya no soy un hombre joven, piensa con seriedad, como si contestara a alguien. Todavía no soy mayor, pero tampoco joven, y debo volver a responder a esta pregunta: ¿De veras quiero reencontrarme con ella? ¿Acaso alguien quiere gastarme una broma tan pesada? Porque es alarmante y absurdo que exista otro ejemplar en el mundo cuyo rostro y figura coincidan con los de la persona que amé; e incluso tal vez haya más Ilis en algún lugar, en Finlandia, en Suecia o en Barcelona. Como si pudiera haber rostros y figuras iguales en algún sitio, desperdigados por el suelo a modo de maniquíes en almacenes de confección... ¿No se trata de una ofensa hiriente? Uno cree que ama a determinada persona, que ama algo personal, algo trágica y grandiosamente individual. ¿Es posible que yo también exista en varios ejemplares perdidos en el tiempo y el espacio? Sí, ya sucedió una vez, hace seis años: me encontré conmigo mismo en un ómnibus de París. Parece que el surtido de seres no es tan amplio como imaginamos. Uno piensa que fue creado como ejemplar único, y de repente un día se entera de que es una copia normal y corriente; en alguna parte existe un modelo que la naturaleza va copiando con indiferencia y maestría, repitiéndolo mecánicamente a lo largo del tiempo. Un hombre vanidoso podría enloquecer al descubrirlo; menos mal que mi vanidad es de otra índole. Yo sé que mi alma es distinta. Y no es mejor ni más sabia en sí misma y tampoco en comparación con el alma de los demás, pero es distinta y eso es algo que ni la voluntad divina puede cambiar. El cuerpo, sí, es igual, pues del cuerpo existen varios ejemplares en la tierra, del cuerpo de Ili y también del mío. Ojos, orejas, labios, cráneo, no son más que utilería que la naturaleza crea y esculpe a diario, a cada momento, en su taller eterno lleno de moldes, en millones y millones de variantes, pero según el mismo patrón. ¿Qué implica la frase «se parece a alguien», sino la sorpresa de la criatura al ver que todo lo que él considera algo personal y característico es simple repetición de un patrón idéntico? Y en la tierra no se dan demasiados patrones. Las especies se repiten y, dentro de las especies, las criaturas: las de hocico chato y belfos carnosos, las de cráneos alargados, cabeza en forma de ave o carnero, y unos ejemplares raros, los de forma humana... Sí, nos repiten. Y entre los noruegos andan extraviados chinos de ojos rasgados; y entre los franceses, negros de labios gruesos; y a veces se cruzan en la calle o el metro, en medio del caos de la existencia, en el éxtasis intranquilo de la conciencia de la personalidad, y entonces alzan la vista, se reconocen a sí mismos en el rostro del otro, emiten un leve grito de asombro, miran la cara del doble con atracción embarazosa, y se alejan presurosos con un sentimiento de incomodidad. Sólo mi alma es diferente. La vida se manifiesta en mi cuerpo de una forma con la que poco tengo que ver. Ili seguramente no sólo vive y muere en el mundo en un único ejemplar, sino que existe ese patrón que en ocasiones, aquí o en Finlandia, se repite y se materializa a través de mujeres como ella. Hay que resignarse a la idea, por muy hiriente que resulte, de que Dios no ha inventado un modelo único para cada uno de nosotros, sino que repite uno creado hace tiempo. Por ello existen gemelos, millones de ellos, que no fueron concebidos en el mismo seno materno, mejor dicho, que llegaron al mundo a través del cuerpo de dos mujeres, a miles de kilómetros de distancia, pero que nacieron similares en un mismo taller, en un mismo seno materno misterioso. «Similitud» es una palabra que da miedo, provoca escalofríos. Todo lo que es el destino cabe en esa palabra, un término infernal que ilumina las profundidades, donde en un taller que nos estremece yacen en estado larvario las formas ancestrales de la existencia humana, millones y millones. En ese taller van combinándose una docena o, tal vez, diez docenas de patrones. No, el hombre es impotente en su cuerpo. Sólo su alma puede discutir con Dios.

Pues eso es lo que sucede con Ilona. ¿Ha vuelto?... Eso en sí da miedo, pero a la vez se trata de un fenómeno del todo natural; el alma y la experiencia no pueden protestar contra los hechos del cuerpo. Cálmate, hay muchas Ilonas más. También viven en el sur, y quizá en Veracruz haya otra. «Señorita, usted se parece muchísimo a una persona que conozco» es la frase manida de la que cualquier desvergonzado, enamorado o galán hace uso, un pretexto ordinario para trabar conocimiento. Sin embargo, si nos fijamos bien, esta forma de dirigirse a alguien constituye una fórmula antiquísima para entablar diálogo, no sólo entre dos personas, sino también entre la divinidad y el hombre. De alguna forma similar se dirigió Dios a la materia al crear con ella al hombre a su propia imagen y semejanza... Si observamos con atención el mundo, el mundo humano y sobrehumano y —unas pocas veces, como hoy— también el infernal, encontraremos grandes parentescos por doquier. Porque las bromas infernales en realidad las ingenian allí, en lo profundo, en el averno, en el mundo infrahumano, pero también eso es asunto nuestro. Como si en los días y noches infernales de la vida se desarrollara una especie de baile de máscaras espeluznante, un baile con mujeres y hombres que lucen caretas infantilmente horribles, familiares, espantosas. Porque es alarmante que existan varios ejemplares de Ili en la tierra, del mismo modo que yo tampoco soy tan singular y único como pienso a veces al afeitarme por las mañanas ante el espejo. Fíjate bien en la careta, te suena, ¿verdad? Como si ya te hubieras visto en otra parte, no sólo en el espejo... Pobre Narciso, no te envanezcas. Al fin y al cabo, tú también, al igual que el resto de la gente, eres sólo uno más. Quizá únicamente la fealdad, cuando el destino y una personalidad marcan un rostro con signos deformes, resulte del todo singular. Más vale no revolver todo eso. Al palpar la «similitud» y los límites del «yo» y el «otro», uno está en realidad hurgando con dedos temblorosos entre la materia ancestral. Pero resulta igualmente alarmante que ese segundo ejemplar me haya localizado en esta ciudad, habitada por un millón de personas: se ha presentado en mi despacho, en una ciudad que no es la suya; precisamente ha entrado en el despacho del hombre que tiempo atrás mantuvo una relación con una mujer de cuerpo parecido. Ha venido a verme a mí, en una ciudad desconocida de un millón de habitantes, con el instinto de las aves que buscan alimento en el espacio infinito... Sí, como las gaviotas, que son capaces de orientarse para llegar hasta aquí: su instinto las atrae hacia el cielo de esta ciudad, porque en la lucha por la vida esperan encontrar en ella el alimento que necesitan. No es una información común ni algo de lo que se hable a diario... aunque también es cierto que una vez más estoy pretendiendo entender las cosas según parámetros de la razón humana. Pero, como hombre, ¿qué otra salida me queda? El segundo ejemplar ha dado conmigo, ha abierto la puerta y ha entrado en mi despacho con la confianza de un sonámbulo; ha acudido sin equivocarse al hombre para quien ese rostro, esa figura, esa mirada y esa sonrisa significaban algo muy especial, distinto de lo que pudieran significar para el resto del millón de habitantes de la ciudad. Eso ya es una proeza infernal... Al parecer en estos días, allí abajo, en el averno, están organizando con gran diligencia el baile de disfraces. ¿Qué instinto habrá guiado a esa mujer hasta mi oficina? ¿Sabrá lo que significa para mí? ¿Tendrá idea de lo que despiertan en mí su rostro y su mirada? ¿O la forma en que me ha dicho con una voz levemente ronca: «La serenidad... Sí, por encima de cualquier otra cosa», y con un gesto algo herido ha apartado la mirada algo maliciosa de la barandilla del puente, dirigiéndola hacia la niebla y las gaviotas? Seguramente será consciente de ello: no lo sabe con la razón, pero sí con la conciencia impersonal del destino que ha dispuesto todo esto, y nos ha creado a ambos en varios ejemplares, a modo de recuerdo y realidad. Reina un orden profundo, tanto en la superficie como en el infierno. ¿Y ahora? ¿Qué ha de pasar ahora? Pues nada. Por la noche, acudiré a la Ópera con este segundo ejemplar.

Se incorpora, mira el reloj, pulsa el timbre, pide al ama de llaves que llame a un taxi. Son las tres y media. Se cepilla el pelo ante el espejo del baño, y al inclinarse hacia él, cosa que jamás había hecho, se observa el rostro con curiosidad. Ah, entonces, ¿es así? Su cara está pálida, arrugada y demacrada. ¿Quedarán aún muchos ejemplares de este tipo en el almacén?, se pregunta interesado. Y luego, con el cepillo en la mano, se dice también: No, este hombre ya no es joven. ¿Qué esperabas de la original y qué esperas ahora del segundo ejemplar? ¿La felicidad? La felicidad no existe, pobre ingenuo. En el poso de la existencia está el hastío y la indolencia, y al crear el mundo Dios tampoco pudo hacer más; realizó un gran esfuerzo para superar la ley de la pereza. Ésta es la vida, la creación, nada más... En cuanto a los asuntos humanos, aquello que una vez empezamos, tenemos que continuarlo sin falta y luego, un día, cuando nos llegue la hora, habremos de concluirlo. Es la ley. No podemos esquivarla. Por eso debes saber que, si acabas yendo a la Ópera con el segundo ejemplar, ese paso no será más que uno de los innumerables pasos que han conducido irremediablemente hacia ti al segundo ejemplar, y después vendrán otras decisiones que obligarán tanto a éste como a ti a seguir por los caminos terrestres, hacia el otro y hacia la muerte... Porque ése es el sentido y el orden de los encuentros. ¿Y qué puedes esperar tú de un encuentro que alguien concertó de forma tan maravillosa, en el tiempo y el espacio, más allá de la muerte y las fronteras de los países, mezclando copia y original? ¿Qué puedes esperar de la copia cuando el original tampoco fue capaz más que de hacerte desconectar por un instante de la conciencia para, a continuación, abandonarte al desconcierto, al agravio y la muerte? Una de las bailarinas del cuarteto se ha marchado; quedáis tres, el segundo ejemplar, el químico y tú, en este mundo y tiempo caóticos. Y te lo repito: ya no eres joven. Ten cuidado, parece que las puertas del infierno se hallan entreabiertas. ¿Ya está aquí el coche? Gracias, enseguida bajo.

Llega a la Ópera con un minuto de retraso. La amplia escalinata ya se encuentra desierta, sumida en la penumbra. La mujer, sola, lo espera en el peldaño inferior, ataviada con un curioso abrigo de pieles color crema que a él se le antoja muy original. En los escaparates de esta parte del mundo, entre las pieles de zorro y roedores de moda, jamás ha visto nada parecido. Se le ocurre que es como si al pie de la escalera lo aguardara un cazador nórdico, con la piel de un animal polar recién abatido —un oso o algún mamífero de la era glaciar— sobre los hombros. Es esbelta, tanto que parece una adolescente, y lanza ojeadas al pretencioso vestíbulo ya desierto con ojos serenos. El abrigo de tupido pelaje le cae suavemente por los hombros, y así, envuelta en pieles, su figura blanca, alta y delgada resalta contra la escalinata y las columnas que se hallan tras ella como telón de fondo. Mira al frente, solitaria y orgullosa.

Su apariencia no acaba de ser del todo femenina. Esa figura esbelta y expectante, cubierta de pieles, bien podría ser la de un hombre, la de un cazador nórdico emboscado en la niebla, oculto entre lagos y bosques; un cazador joven, atento a la presa y los peligros nocturnos. Lleva el pelo corto, liso, con la raya a un lado... sí, igual que la otra. No luce sombrero. Su rostro joven está serio y observa con atención escrupulosa. Su postura al pie de la escalinata, a la espera, resulta familiar pero no del todo femenina, y tampoco occidental; una mujer francesa o inglesa no estaría de pie en esa posición. Allí, ante la escalera, recuerda a un descendiente de cazadores y pescadores, vigilante, con la mirada escrutadora tras los párpados entornados: el vástago de un pueblo cuyos hombres y mujeres llevan mil años luchando contra la naturaleza, preparados en todo momento para un combate silencioso, tenaz e interminable. Son los cazadores quienes adoptan esa postura, a orillas de lagos y en llanos brumosos que invitan a la melancolía, en la soledad de inviernos eternos, durante miles y miles de años. Le resulta familiar. Si estuviera apoyada sobre un cayado, bien podría ser un pastor de Hungría, un zagal de la llanura húngara, envuelto en una pelliza de pelo enmarañado, con la cabeza descubierta, un poco encorvado y apoyado en el bastón con ambas manos, observando imperturbable el espectáculo terco e indiferente del paisaje y el mundo, cuyo sentido último —nada trágico para él— es la muerte. Un pueblo emparentado con el mío, piensa, y se detiene un instante a observar la figura varonil mientras esboza una sonrisa. Se trata de un caso límite, se dice, un caso límite tanto respecto al parentesco como respecto al sexo. Una chica andrógina que podría ser un chico algo afeminado que no se inmuta al desollar un lince, pero se sonroja al dirigirse a una persona mayor o a una mujer. Y sin embargo, esta chica nórdica, a los pies de la escalinata de la Ópera de Budapest, resulta familiar con esa postura alerta y expectante. Resulta familiar no sólo por el parentesco ugrofinés o por llamarse Única Ola y haber salido del *Kalevala*, sino porque ha llevado consigo, a esa ciudad que no es la suya, la mirada y la postura de otro pueblo, y el alma de ese pueblo vive aún próxima a la naturaleza, al paisaje, al silencio nórdico, a la noche boreal, al brillo y las crestas de los innumerables lagos, al ritmo de vida de la fauna polar, del mismo modo que los húngaros tampoco son del todo urbanos, ni siquiera hoy día, cuando ya cuentan con una Ópera en Budapest y los Cárpatos albergan tantas ciudades hermosas. Un pueblo que sigue cautivo de la experiencia de la naturaleza, la caza, las oportunidades que brindan los prados y bosques, la pesca, la tierra, los animales. Se dice que hay muchos neuróticos entre ellos, piensa de repente, y le sorprende la asociación de ideas. Recuerda estadísticas leídas no hace mucho, cifras que demuestran que ese pueblo tan saludable es en extremo nervioso, que en la lucha contra la naturaleza muchas veces sufre heridas, que la profunda soledad, la soledad de las viviendas construidas a grandes distancias, hiere las almas... Ese pueblo cuyo cuerpo disfruta de tanta salud como los animales del bosque nórdico, que se baña continuamente, que combate con éxito en la guerra y la paz, ese pueblo, valiente y solitario, sufre de los nervios. Y ahora que en la lucha desigual tantos hombres han caído, las mujeres desempeñan los oficios masculinos... ¿Es posible que también esta mujer, que permanece como una centinela al pie de la escalinata de la Ópera de una ciudad extraña, esté llamada a desarrollar alguna tarea propia de hombres? La joven lo distingue y se dirige hacia él, a paso lento y pausado. El rostro conocido sonríe, pero los ojos siguen alerta y serios.

Ha llegado tarde y se disculpa; ella inclina la cabeza con cortesía. Tengo mucho trabajo, aduce él. ¿Acaso siempre trabaja hasta tan tarde?, pregunta ella. Suben las escaleras con sigilo; cuando la acomodadora les abre la puerta del palco, desde el recinto oscuro y profundo los envuelve una música densa y apasionada. Están cerca del escenario, solos en el amplio palco que todas las noches espera a personalidades ilustres. La joven toma asiento y desliza por sus hombros su peculiar abrigo de piel, de modo que deja al descubierto un vestido de seda negro. El hombre se siente aliviado cuando repara en que la mujer y el vestido armonizan perfectamente. No sabría concretar su temor. Tal vez haya temido una actitud provinciana, una timidez propia de becaria, de estudiante, o algo mucho peor, esa forma de acicalarse exagerada y escandalizadora de algunas mujeres, que se visten por encima de su situación y destino. Pero hasta el momento la joven no ha cometido errores. Él siente alivio. Luce un vestido sencillo y confeccionado en un selecto salón, de una simpleza exuberante y de noble género, con el que sólo las modistas de las mejores tiendas visten a las mujeres que destacan en sociedad. El vestido de seda negra carece de ornamentos, de modo que el cuello y la cabeza de la joven destacan por su blancura y nobleza en un escote exento de joyas. No, no tengo que avergonzarme de este segundo ejemplar, piensa aliviado. Y se sienta a su lado en la penumbra y apoya los codos sobre el borde de terciopelo rojo del palco.

De momento, el telón oculta el escenario. El haz de los focos juguetea sobre el cortinaje de terciopelo y, en el foso, un hombre esbelto y calvo, vestido de frac, despliega ampulosos gestos que recuerdan a los de un nadador, al dirigir la tremenda vorágine de la obertura. El público todavía no se ha acomodado del todo, pues de la platea y los palcos sigue elevándose un rumor inquieto. Todos los asientos están ocupados, y en los palcos los espectadores se sientan hacinados, tal como suele ocurrir en los últimos tiempos, en que resulta imposible conseguir entradas incluso semanas antes de la función, pues la gente engulle la música con la misma avidez y el fervor con que se nutriría de pan, de alimento, como si ya no pudiera vivir sin ella. Hace tiempo que todas las salas de concierto agotan sus localidades. Al igual que las cafeterías abarrotadas, donde se escucha música barata, se beben infusiones aguadas y líquidos mareantes con un veneno noble y espeso que ejerce sobre el sistema nervioso un efecto más devastador que cualquier palabra. Quieren música, como si ésta fuera la única droga capaz de adormecer y aturdir su sistema nervioso lastimado, como si las palabras carecieran ya de significado. La mujer se sienta erguida, sus manos sobre el borde de terciopelo del palco sostienen un pequeño bolso de abalorios negros. Observa la platea con atención. Arriba y abajo todavía se oye murmurar y removerse a la gente, pero la música ya comienza a surtir efecto sobre la multitud. El enorme cuerpo, el público, va adormeciéndose, como cuando a uno le inyectan morfina: las miradas se fijan y se dirigen al telón de terciopelo, al tiempo que irradian un brillo cristalino y parecen hechizadas; las manos se olvidan del programa y de los impertinentes; el hombre calvo flota con los brazos abiertos sobre la vorágine de la célebre melodía del primer movimiento; la inyección empieza a surtir efecto; la multitud pueril se tranquiliza.

Las arañas del techo ya se han apagado, pero en la gran sala aún reina la penumbra. El hombre se asoma por el borde del palco, reconoce rostros en las primeras filas, en los palcos cercanos, saluda con leves gestos de la cabeza y corresponde a los ademanes de otros. Varios prismáticos enfocan con curiosidad a la desconocida, a la joven de piel pálida y vestido negro que se expone en el palco. Ella percibe las miradas y soporta el examen sin inmutarse, con la inmovilidad de un animal joven que se sabe observado pero todavía no ha decidido salir huyendo... El hombre, con gesto cauteloso, empuja su butaca atrás, se retira hacia el fondo del palco para analizar desde allí, con ojos mundanos, cómo se desarrolla la presentación de la joven en la Ópera. Tiene éxito, piensa satisfecho. Resulta extraña, sorprendentemente bella, pero con una belleza distinta de la habitual, de la de las mujeres de los palcos vecinos. Como si hubiera traído consigo algo de su propio mundo. Es como si de su figura, de ese cuerpo esbelto envuelto en seda negra, emanara fiereza. Los hombros blancos, el noble perfil del cuello y la cabeza, los rasgos curiosamente irregulares, cuya armonía reside justo en la postura de la cabeza, la mirada serena, el gesto suavemente irónico de los labios, todo resulta raro, lejano. Cuesta definir qué tiene de distinto, pues en realidad se trata de una mujer bella, joven, impecablemente vestida, exactamente igual a las que están en los otros palcos. Sin embargo, su ser irradia algo diferente, que él no sería capaz de expresar con palabras. Si no fuera su acompañante, sino un espectador más, tampoco podría evitar enfocarla con sus prismáticos. Esta rudimentaria satisfacción masculina lo colma por completo, pero la vanidad le hace sonreír. Todo hombre experimenta ese nerviosismo cuando se presenta en público con la mujer elegida y espera una especie de certificación de su orgullo masculino en las miradas ajenas, curiosas y codiciosas. A este segundo ejemplar lo observan tal como hicieron con el original, piensa entre divertido y triste, con regodeo un tanto temeroso. Ili atraía de la misma forma la atención de hombres y mujeres, todos sus gestos suscitaban miradas envidiosas y codiciosas, el hechizo de su belleza andrógina despertaba deseos y pasiones por doquier... Pero él jamás había sido capaz de observarla con la prepotencia del propietario, siempre había permanecido en un segundo plano, como un simple acompañante, como la persona designada oficialmente para la custodia de aquella pieza de exhibición... Pero entonces sufría, porque Ili era bella y él amaba su belleza y no quería compartirla con nadie. Ahora sólo disfruta asombrado en la penumbra del palco, en segundo plano, satisfecho y sereno. Porque este otro ejemplar es muy bello, una copia fiel del primero, pero ya no puede causarle dolor.

Y esta triste certeza se apodera de él. Observa a la bella conocida, que por un designio absurdo y ridículo de la vida ha vuelto a aparecer, y piensa con sereno alivio: No, belleza, ya no puedes causarme dolor... El dolor ya pasó. La existencia lo convirtió en algo distinto: él conoció el dolor, lo lloró, luego lo ocultó a los ojos del mundo, de alguna manera lo disecó y lo guardó en la sala conmemorativa de sus recuerdos como si se tratara de una momia con bellos adornos. No te engañes, el dolor causado por el amor también se cura. Queda el luto, una ceremonia oficial de desconocidos, y el recuerdo. El dolor era distinto: un grito salvaje, incluso sin voz. Así gritan las fieras cuando no comprenden algo (por ejemplo, el destellar de las estrellas o los olores extraños) y se echan a temblar y aúllan. El luto ya es cuestión de razón y práctica. Pero, un día, el dolor se transforma; todo lo que en la ausencia del otro era vanidad y ofensa se resquebraja ante las tenaces llamas del purgatorio del dolor y sólo queda el recuerdo, que se puede manejar, amansar y colocar en algún sitio. Sucede lo mismo con cualquier idea y pasión humanas. Y, como sabes, es inútil que la vida interprete cuartetos tan extraños, muestre y saque a relucir recuerdos materializados, realice similitudes espectrales e infernales o presente segundos ejemplares por los oscuros caminos de la existencia, pues estos encuentros podrán proporcionar de todo, nuevas experiencias o sorpresas, pero ya no podrán causar dolor. Y por ello está tranquilamente sentado en la penumbra del palco, aliviado. La mujer siente su alivio, quizá con el instinto heredado de su tribu. Se vuelve ligeramente hacia él con gesto interrogante, como preguntándole: ¿Aprobada? ¿Estás satisfecho, noble caballero? ¿No he herido tu orgullo masculino?... Sí, soy bella. ¿Tan tranquilo estás? ¿No sientes ni pizca de celos? Sus ojos destellan y por un instante brillan en la penumbra. Y sonríe con ironía y amabilidad, como si su joven torso se inclinara levemente, para expresar con ese gesto irónico la humildad de la odalisca que, aliviada, esboza una reverencia cuando gana el aprecio del pachá. Qué arrogante, piensa el hombre cuando ella mira de nuevo la platea y el escenario. Ili no era tan arrogante. Más bien sentía hastío, y cuando se burlaba, cuando con un gesto de la mano o una mirada revelaba que estaba riéndose de

86

los dos, que se reía de cuanto le ofrecía y le presentaba la vida, pese a su sarcasmo, más bien parecía triste... Esta mujer, en cambio, es arrogante. Más vale tener cuidado. Pero de poco ha de servirle, porque no será capaz de hacerme daño.

Mira hacia abajo. La varita mágica del hombre calvo ya ha hechizado al público, esa bestia pueril, pero el encantamiento aún no se ha completado. Los espectadores siguen inquietos. Es una inquietud silenciosa, aunque una pregunta tácita zumba en la espera melódica, como cuando el enfermo —obligado por la voluntad del médico a sumirse en un sopor hipnótico— lucha con la conciencia que le queda contra el sueño y el embotamiento, mascúlla palabras incongruentes, balbucea sílabas que no son más que indicios de su miedo y su protesta. No, el hechizo que se extiende por el recinto gracias a la varita mágica del director todavía no ha surtido pleno efecto, pues en los palcos se juntan las cabezas para hablarse, y alguien saluda desde la platea y mira interrogante hacia lo alto, hacia los palcos de las autoridades, con expresión de extrañeza y cierto temor.

Es entonces cuando él se percata de que dichos palcos se hallan vacíos. Sin embargo, nadie puede saber nada a ciencia cierta, piensa turbado. Cruza los brazos, trata de ocultarse en la penumbra, reflexionando y haciendo cálculos. No son más de seis las personas que en este momento se hallan al tanto de lo que mañana se hará realidad, convirtiéndose en noticia y novedad para todos. Pero de momento sólo seis conocen la verdad. Personas en cuyo silencio y discreción se puede confiar sin reservas. ¿Seguro que sin reservas?, se pregunta de pronto. Al fin y al cabo, son personas. Tienen esposas, amantes, amigos, alguien especial con quien no guardan secretos... En todo caso, el público de aquí abajo, en la platea y los palcos, debería desconocer la verdad, no tiene manera de haberse enterado. No obstante, al parecer ya no hay secretos en el mundo: reina tal tensión entre los espectadores que se siente, puede palparse, como en esos raros momentos en que, sin transición alguna, de repente se toma conciencia de la presencia del destino. Entonces la gente se emociona especialmente y a continuación se serena. Pero no puede ser, aún no saben nada, no han oído la radio ni leído la prensa... aunque, a decir verdad, a veces las personas se enteran de lo que resulta decisivo para su destino sin necesidad de radio ni periódicos. De todas formas, esta noche la gente ha acudido al teatro de la Ópera... Es una imagen subyugante que abarca todos los rituales de la cultura: la música, la arquitectura, hombres y mujeres ataviados de gala, humildad y hechizo, la atmósfera devota del Arte. Esto era Europa, piensa, asomándose al palco para mirar hacia abajo, al semicírculo de luces, a la orquesta y su director, el telón de terciopelo rojo, la suntuosa decoración de la sala: lo observa todo igual que un turista contempla los restos del anfiteatro de una antigua ciudad destruida, donde antaño se interpretaban obras de Sófocles hasta que sus habitantes, que integraban aquella cultura y frecuentaban aquel teatro, y sus viviendas fueron arrasadas por la lava. Pero aún perviven aquí, tanto la gente como la cultura, y todo eso lo sostiene el destino en sus manos indiferentes. Y cuando escuchan la obertura de la ópera, en ese momento festivo, intuyen algo y gimen quejumbrosos. Sienten que su vida ha dejado de ser exclusivamente suya, que la vida de cada europeo ha pasado a ser una cifra estadística. Desde ahora, las cosas no le sucederán a Péter o a Emma, sino a la comunidad de la que forma parte el destino de ambos... Sin embargo, aún no se han habituado a ello; probablemente resulte imposible acostumbrarse del todo.

¡Qué maravillosa es la música! ¿Qué ópera se representa hoy?... Hace unos minutos han subido el telón, pero él sólo empieza a concentrarse en el escenario ahora: al fondo se ven rocas y horcas, un hombre canta con semblante serio. Alargando la mano distraídamente hacia el programa, comienza a disfrutar de la música. Sí, es Verdi. Con qué densidad y abundancia fluye y discurre la música. *Un baile de máscaras...* ¿Nos quedamos hasta el final? ¿Y luego? ¿Qué hago con ella? Insisto, quiero estar en paz, porque mi alma es exclusivamente mía, porque debo morir mañana o dentro de poco, porque tengo que devolver a Dios esta máscara y mi ser, y porque ya basta de esa infamia que nos lleva a derrochar interés, egoísmo y vanidad: el tema del hombre y la mujer que la falsa literatura denomina amor; basta ya de todo eso. Quiero estar tranquilo, oídme, seres originales y segundos ejemplares. Ya basta de conocer la materia humana, piensa mientras la música se desborda. En Oriente, en casos así, la gente abandona su casa y se va a las montañas. Un destino más profundo —y a la vez más sencillo que cualquier cosa que pueda urdir el hombre para sí— un día vuelve a acoger a los sabios y los humildes. Basta de carne, a la que se le pone piel de gallina y se estremece con el roce de la música y el amor; basta de deseo y satisfacción; basta de la posibilidad de perder a la persona amada; basta de esta resignación infame, de resignarse al chantaje del gozo, la ternura y la soledad desesperada... Es como uno que se avergüenza en el desenfreno del baile de máscaras y se quita el disfraz que lo ha ocultado durante el vals. Basta, piensa, damas y caballeros, quiero irme a casa. A casa, a la soledad. Ya he tenido bastante de este papel de bufón, no volveré a ponerme el disfraz de Enamorado, tampoco la careta de Seductor; quiero esconder mi rostro entre las manos y callar, porque sólo soy un hombre.

La música fluye, densa y cálida, por la amplia sala como el viento del sur.

Un rato después se encienden las luces, que luego vuelven a apagarse. En el escenario, una voz canta con persistencia enloquecida: «Óscar lo sabe, pero no lo dirá...» Él se echa a reír. La joven se vuelve, le sonríe y pregunta:

—¿Ha estado alguna vez en un baile de máscaras?

—Una vez. En Colonia, en mis años de estudiante.

—Un verdadero baile de máscaras debe de ser precioso.

—De madrugada todos estaban borrachos y vomitando —responde él con franqueza.

Callan, porque la música se impone. Han sido las primeras palabras que pronuncian en el palco, donde están sentados uno al lado del otro como el carcelero y el preso en un coche celular que atraviesa la ciudad.

. . .

—Ha sido una velada preciosa, gracias —dice ella, y se sienta en una butaca de cuero, de espaldas al escritorio. Enciende un pitillo con el diminuto mechero dorado que saca del bolso negro.

Qué curioso, piensa él, esta mujer no parece tan pobre como suelen ser las profesoras escandinavas con beca. Sin embargo, quizá heredara el mechero de oro del pescador que poseía barcos y leía el *Kalevala*.

—Queda un poco de café... —ofrece con torpeza—. Creo que habría que molerlo, pero el ama de llaves ya se ha acostado.

—No se moleste. Sólo me quedaré diez minutos, como suele suceder en las novelas y en nuestra situación, cuando una dama sube por primera vez a casa de un caballero desconocido. No me interrumpa —prosigue en francés—, pues ahora me toca a mí explicar la situación en su lugar. El toque de queda ha sido lo que nos ha obligado a subir a su casa, ¿no es así? De modo que esta visita nocturna no tiene mayor importancia; lo sé mejor que usted. Así que por eso he subido. ¿Podría servirme un vasito de esa botella de cuello largo? Gracias... Y dentro de diez minutos, llame a un taxi.

Se arrellana en la butaca con el movimiento de un estilizado felino que busca cobijo, mirándolo con atención y seriedad.

—En estos diez minutos me gustaría decirle algo —anuncia, pasando de nuevo al húngaro.

—Yo, en estos diez minutos, quisiera preguntarle una cosa.

91

—Vayamos por orden —propone la joven—. Ha sido una velada muy hermosa... La última vez que estuve en la Ópera fue en París. Hace un año, sí... Polonia ya había caído, pero los habitantes de París aún no estaban enterados. La *drôle de guerre*, aquella extraña guerra, había comenzado hacía pocos meses y en la capital francesa todavía reinaba la despreocupación. Los palcos resplandecían y los bailarines evolucionaban sobre el escenario; había militares de alto rango vestidos de gala, diplomáticos y políticos de frac, las mujeres los observaban con sus gemelos; parecía como si París quisiera exponer por última vez todos sus tesoros antes de que el mundo se apagara... Era primavera, hacía una noche especialmente tibia. Fuera, en la oscuridad, las farolas que iluminaban el acceso al teatro brillaban difusas y enigmáticas sobre la calzada. Fue la última vez que pude ver en todo su esplendor y despreocupación París y esa otra vida, que seguramente nunca volverá a existir para nosotros. No se preocupaban por lo que consideraban una extraña y lejana guerra, les parecía que no llegaría a su ciudad. Y esta noche, por primera vez en mucho tiempo, he vuelto a encontrarme con esa imagen: gente elegante y refinada en una relativa tranquilidad, como si la guerra estuviera lejos, como si todo lo que embellece y da lustre a la vida aún existiera, como si esta noche en mi país y en otras partes del mundo no ardieran casas, como si las madres no escarbaran en busca de sus hijos entre los escombros de sótanos derrumbados... Como si también hoy la vida fuera una fiesta onírica, frívola y hermosa. Hacía mucho que no veía ni sentía nada así. Su ciudad es maravillosa, querido pariente —afirma con una sonrisa levemente irónica—. En medio de un mundo en llamas, hemos asistido a la representación de una ópera, y después hemos ido a un suntuoso restaurante, donde bellas mujeres y hombres elegantes cenaban despreocupados. Desde luego, es una ciudad despreocupada —concluye.

Entonces él se apoya contra la librería y cruza los brazos.

—¿Eso cree? —pregunta con lentitud—. Tal vez no reine tanta despreocupación. Las representaciones de ópera suelen convocar a mucho público en todas partes, incluso en tiempos de guerra. Pero la vida y los problemas de esta ciudad se notan en otros sitios, señorita. No en el teatro.

—¿De veras lo cree así? —contesta la joven con tono de colegiala irónica—. Naturalmente, el mundo del espectáculo no es el rostro real de la ciudad. Así pues, ¿dice que sus conciudadanos quizá sí estén preocupados? Qué curioso —comenta casi con ingenuidad—. Pero ustedes viven en paz, no tienen relación con la guerra.

—Creo que todas las personas que viven en esta época tienen relación con la contienda. —Y la mira con severidad, como un maestro que corrige a un alumno demasiado respondón.

—Oh, claro —replica ella con un acento extraño, enfatizando como los ingleses el inicio de la frase.

Es evidente que ha vivido mucho tiempo en el extranjero, en distintos lugares, piensa él.

—De todas formas, la realidad es distinta —continúa la joven—. En la otra guerra yo era una niña pequeña. Pero tengo entendido que fue diferente. Quien no haya estado en el campo de batalla no sabe cómo es una guerra de verdad... ¿No es así? Usted se acordará mejor.

—Me acuerdo mejor, porque... bueno, participé en la batalla del Piave —contesta él con gravedad—. Aunque yo también era joven... Pero no quiero entretenerla con historias tristes. Diez minutos pasan rápido y usted quería comentarme algo.

—Sí —dice, fumando con tranquilidad, como si tuviera tiempo de sobra—. ¿Insiste en que sean diez minutos? ¿No podrían ser quince? Quiero decir, si dispone de tiempo, si no tiene que levantarse temprano, si no tiene otra cosa que hacer esta noche... —Y al ver sonreír a su anfitrión, prosigue—: La realidad de la guerra es distinta. Ustedes aún no la conocen, y espero que nunca lleguen a conocerla. Pero cuando desperté en el sótano, al derrumbarse la casa de mi padre, de pronto entendí lo que era. Y que todo lo que había oído hasta entonces, todo lo que había pensado y leído, no era más que un sueño, tan turbio y nebuloso como un sueño... Ésa fue la realidad, la primera realidad de mi vida: el estruendo con que se desplomó nuestro hogar en la costa, la casa donde habían vivido mis abuelos y mis padres. Luego el sótano se llenó de humo.

—¿Era una casa grande?

—No, no lo era —responde la joven, encogiéndose de hombros—. Pero era nuestra... me entiende, ¿verdad? La única casa del mundo donde sabía lo que había en cada cajón; en el salón, junto a la chimenea, estaba el sillón en que murió mi abuela, el mismo en que solía sentarse mi padre a leer por las noches, cuando volvía de trabajar. Había muchas cosas en aquella casa. Por ejemplo, un cuarto desde donde se veía el mar, los veleros: era mi habitación. Y todo lo que hay en una casa donde han vivido abuelos, padres e hijos. Allí nací y allí por poco muero, pues nos quedamos atrapados en el sótano y el humo nos asfixiaba. Aquello era la realidad. Y el que no lo haya vivido, el que no haya experimentado lo que se siente en un sótano, cuando a uno se le viene la casa encima y todo lo que ha formado parte de la vida familiar, todo lo que significa la niñez, queda reducido a cenizas, tal vez no sepa del todo lo que es esta guerra.

—Hemos oído algunas cosas —comenta él en tono comprensivo.

—Lo han oído y leído, sí —replica ella fríamente—, y tal vez hayan visto imágenes en los periódicos y el cinematógrafo... Pero es distinto oír el estruendo con que todo lo construido y reunido por una familia se derrumba. No es un ruido ensordecedor si has pasado más de media hora oyendo el estrépito de la artillería antiaérea, tan cerca como si las detonaciones se produjeran allí, en el sótano. Y luego se hizo un repentino silencio, un silencio que... No, es algo que no puede definirse, ni conocerse por las revistas o el cine. Ese silencio sólo puede oírse una vez en la vida, cuando la casa paterna se desploma sobre ti. ¿Que si es un minuto horrible? No lo sé... No es horrible. No se parece a nada que haya imaginado o conocido. Quizá sea como el nacimiento o la muerte, algo que sólo sucede una vez, ¿comprende? Porque casa paterna hay sólo una en la vida, una nada más, y sólo puede derrumbarse una vez, cuando le cae una bomba. Y el perro... es curioso, pero es lo que recuerdo más vívidamente. Seguro que sabe que los perros barruntan los peligros. También las arañas. ¿No me cree?... Yo vi la señal aquella tarde, gracias a nuestro perro y a las arañas del baño. Entonces ya llevaban tres noches bombardeando Helsinki y dormíamos en el sótano, mi madre, el aya, yo y el viejo perro, un gran danés. Y no teníamos miedo. Hacía tres semanas que los aviones atacaban casi todas las noches, y después de oír la alarma cada vez bajábamos al sótano, porque por la zona habían acertado a muchas casas. El perro se llamaba *Castor* y era uno más de la familia. Ya había cumplido diecisiete años, tenía ojos legañosos y le lagrimeaban continuamente, pero mi padre y luego yo no permitimos que lo sacrificaran porque vivía con nosotros como si fuera un viejo pariente; sabía muchas cosas y, aunque era bastante quisquilloso, formaba parte de una extraña alianza más fuerte que la voluntad humana... ¿Cómo se dice? ¿Comunidad de destinos?... Gracias. Pues *Castor*, el dogo danés, formaba parte de eso. Cuando mi padre murió, me convertí en su ama; dormía en el umbral de mi cuarto. Aquella noche estaba con nosotras el hombre que luego se casaría con mi madre, porque yo me negué a ser su esposa. Pero esto tal vez no le interese a usted... *Castor* odiaba a ese hombre, aunque era tan listo y disciplinado (me refiero al perro) que no exteriorizó su odio, y se limitaba a mostrarse alerta cuando el hombre venía a visitarnos. Aquel día, cuando la casa se desplomó, oscureció temprano. Era a principios de otoño, a finales de septiembre. Por la tarde había llovido. El hombre cenó en casa y apenas conversamos. Tiene que saber, ya que estamos hablando de ello, que ese hombre tenía la edad de mi padre y anhelaba cuanto la vida le había brindado a éste... Se habían educado juntos, más tarde establecieron juntos un negocio, y juntos cortejaron a mi madre; a ese hombre la vida le había dado todo el éxito aparente: dinero, poder... pero eso no le bastaba. Anhelaba lo que tenía mi padre: la casa, a mi madre, más tarde a mí. Hay gente así, que sólo tiene un rival en el mundo y en realidad únicamente le interesan la casa, el negocio, el lecho y la mujer del otro. Estoy segura de que ese hombre tuvo algo que ver con la muerte de mi padre, pues fomentó unas condiciones que él, mi padre (de ojos azules, tristes y dóciles, y aficionado a la lectura), no fue capaz de afrontar y prefirió morir. Pero de eso jamás hablábamos. Quería acostarse en el lecho de mi padre, a mi lado o al lado de mi madre, deseaba vivir en la casa donde mi padre y nosotras habíamos sido felices... Mi madre también lo sabía, lo había sabido ya durante los muchos años de matrimonio con mi padre. Pero... discúlpeme... sólo le cuento estas cosas para que vea que aquella noche todo había confluido perfectamente, cuanto aquel hombre deseaba, cuanto quería acaparar: la casa, ya sin mi padre, mi madre y yo. Por aquel entonces nos visitaba todas las tardes. Y *Castor* y yo sabíamos a qué venía, qué pretendía. Nos dábamos perfecta cuenta de todo y callábamos. De ese hombre dependían muchas cosas. Yo le tenía cierto miedo, como se le teme a un demente, no tanto a la persona del loco en sí, sino a la fuerza silenciosa y fiera que personifica. Antes de cenar, fui al baño a lavarme las manos y entonces vi las arañas. Ignoraba que en nuestra casa las hubiera... no quiero parecer la típica señorita que se envanece por la limpieza de su hogar, pero créame que en casa no se consentían los insectos en general. Y entonces, de repente, a la luz de la bombilla, me fijé en que muchas de ellas correteaban por la pared blanca, sobre el espejo y el lavabo, como una colonia enloquecida y asustada, arañas grandes y repugnantes, bajo el efecto del pánico... Y, de pie ante el espejo, me apreté las manos contra el pecho, miré las arañas y lo supe todo. ¿Todo sobre qué?... Simplemente que aquello estaba allí. Fue eso lo que pensé. Pero ¿qué estaba allí? ¿La muerte? ¿La destrucción? Eso y algo mucho peor. Algo que sólo sucede una vez en la vida, cuando sientes que se han movilizado y unido fuerzas tremendas, el sol, la luna, las estrellas, los rayos, que toda voluntad te ha puesto en su punto de mira, a ti y tu vida... Lo supe en ese instante, cuando las arañas aparecieron en las paredes blancas del lavabo, corriendo enloquecidas. Como las fieras de la Biblia, el día del Juicio Final... Me quedé mirándolas. En ese momento me despedí de mi hogar, porque sabía que aquello estaba allí... No fue una despedida racional. Dejé que el agua caliente me corriera por las manos, pero las tenía heladas. Volví a la sala, donde ya habían encendido las luces, y busqué al perro, que se me acercó enseguida gañendo. Tiene que saber usted que un dogo tan mayor es un ser majestuoso, no gañe sin razón, como hacen los perros falderos. Pero entonces se sentó ante mí, alzó su vista legañosa, como si husmeara algo, y aulló lastimero. Luego enmudeció. Sin embargo, aquella noche ya no se separó de mí. Sin mencionar las arañas, me senté a cenar con mi madre y con aquel hombre; *Castor* se tumbó a mis pies bajo la mesa. Yo guardaba silencio y sabía que aquello estaba allí. Pero no podía decírselo a nadie. Como callaba, mi silencio empezó a inquietar a los demás. El dogo nunca se había comportado así: el estruendo de los ataques aéreos, el estallido de las bombas, nada de eso lo ponía nervioso y nunca había bajado con nosotros al sótano. Al contrario, las noches en que nos bombardeaban deambulaba por la casa a su aire, salía al jardín, observaba los haces luminosos de los proyectiles, sin temor. Pero aquella noche estaba asustado... Y sentada con el perro bajo la mesa, sentía el calor de su cuerpo grande y viejo, y sabía que llegaba a término algo que había sido agradable... la infancia y la casa paterna, aquella calidez que hasta entonces había impregnado mi vida. Me esforcé en comer, pero me atraganté. Agaché la cabeza y me incliné sobre el plato, para no delatar mi agitación. Y como si el comedor se hubiera llenado con el espíritu de cuantos habían vivido en la casa, lo vi todo, mi infancia y la de mi padre, a mi abuelo muerto y la última Nochebuena que mi padre pasó con nosotras, lo vi todo, como si cada objeto que hubiera habido en mi casa y cada acción llevada a cabo en aquellas habitaciones hubiesen aparecido por última vez entre aquellas paredes. Cenábamos en silencio. Y entonces mi madre, blanca como la tiza, con los labios pálidos y temblorosos, tratando de sonreír pero tiritando asustada, dijo: Creo que esta noche va a pasar algo. Y el hombre añadió: Sí, yo también lo creo. Y ambas notamos el miedo en su voz, notamos que el horror le palpitaba en el corazón. Y el dogo empezó a gruñir bajo la mesa. Pensé en las arañas y sabía que aquello estaba allí. ¿Lo comprende usted? Las arañas, el perro y el peligro... ¿Cómo se vinculan las cosas en el mundo? He meditado mucho sobre ello, pero sin lograr descifrarlo... Más tarde, busqué respuestas en París y Londres, en museos y bibliotecas... Sí, porque después de aquella noche viajé a París y de allí a Londres. ¿Por qué? Ésa es otra cuestión. Simplemente me fui... Quería aprender acerca de la cultura de pueblos primitivos que aún creen en la relación de las fuerzas terrenales y los instintos humanos y animales, los que piensan que cada persona está protegida por un animal, los que se dirigen directamente a las fuerzas ciegas que determinan el destino de los hombres, los que creen que el destino puede aplacarse con sacrificios. Pero los primitivos no me dieron respuesta. Me enteré de cómo se puede matar desde lejos, simplemente con la voluntad y la intención... pero de ello no se habla en nuestro mundo, sólo se intuye el secreto de los solitarios, los chamanes, los descendientes de viajeros celestiales, en casas aisladas, junto a lagos nebulosos... Aún no habíamos acabado de cenar cuando sonaron las sirenas. Era la tercera alarma del día: la primera se había producido a las dos de la tarde; la segunda, a las seis; ambas habían durado poco y *Castor* había estado tranquilo en las dos ocasiones. Pero con la tercera se levantó de un salto, se le erizó el pelaje, sus ojos brillaron turbios y verdosos, daba miedo ver al viejo animal asustado, parecía el sabueso de los Baskerville... y salió corriendo y gañendo hacia la puerta, hacia el sótano. Todos lo seguimos a la carrera. Y pocos minutos después se hizo un súbito silencio. A continuación, la casa se vino abajo. Todo es distinto a como lo imagina uno —añade apenas en un susurro.

—Sí —conviene el hombre, inmóvil frente a la joven, con los brazos cruzados, todavía apoyado contra la estantería—. ¿En eso pensaba esta noche en la Ópera?

—También en eso. —Con sus largos dedos aplasta la colilla en el platillo de cerámica, se reclina en el sillón y cruza los brazos—. Me fijaba en las damas con esos vestidos tan bonitos, en los caballeros elegantes, y pensaba que en mi país los hombres y las mujeres ya hace un año que no tienen tiempo para vestir con elegancia ni asistir al teatro. Y también de día, por las calles, aquí todo es tan distinto... reina un ambiente de tal despreocupación y parsimonia... En mi país todos van acelerados, como si cada instante fuera apremiante. Lo que viven ustedes aquí aún es la paz, bueno, no una paz sin fisuras, pero algo parecido. Por eso digo que el que no la haya vivido no puede saber cómo es la guerra, qué siente uno cuando se le cae encima la casa en que nació...

El hombre sirve de la botella de cuello largo una bebida aromática en dos copas.

—En este momento aún no somos conscientes —murmura, tendiéndole una a la joven—, pero ahora el tiempo pasa rápido... más bien, vuela. Señorita, hoy en día las casas no son seguras en ninguna parte.

Ella toma la copa y pregunta intranquila, con un extraño deje en la voz:

—¿Eso piensa? —Mira alrededor y sonríe—. En esta sala los muebles siguen en su sitio. Veo que todos son antiguos. En esta ciudad, dondequiera que uno vaya, siente seguridad. Es algo que sucede en pocos hogares, en pocos sitios del mundo.

Brindan y apuran el fuerte licor.

—Esperemos que todo continúe en su sitio, en este piso y en este país —comenta él bajando la voz.

Y devuelven las copas a la bandeja de cristal.

—Sí, claro, esperemos —conviene ella.

—Y luego, ¿se marchó a París, a la Ópera?...

—¿Luego? —repite la joven, con los ojos muy abiertos. Ahora parece como si no prestara atención, ni a la situación ni a su acompañante—. Sí —dice entonces, como quien acaba de recobrar la conciencia—. Luego fui a París y también a otros sitios. Ya no tenía razones para quedarme en casa. Mejor dicho, ya no había casa donde quedarme. ¿Por qué iba a hacerlo, no le parece?

—Tiene razón. He oído que las mujeres finlandesas han desempeñado un papel muy importante en esta guerra... Lo ha reconocido todo el mundo, hasta en ultramar, en América. Han ayudado mucho al país cuando los hogares fueron bombardeados y destruidos.

—Cuando el país donde has nacido se encuentra en una situación grave, se puede ayudar de muchas formas —replica ella con cierta aspereza—. Unos se quedan, otros se van. Yo me fui —afirma casi con severidad—. Finlandia tiene muchos amigos y no está de más recurrir a ellos. —Se interrumpe. Está bellísima. Se endereza en el sillón; sus ojos verde grisáceo

102

brillan mientras se arregla el cabello con sus manos largas y finas. Niega con la cabeza, sonríe—. Ustedes también son amigos nuestros, ¿no?, aunque no participen en la guerra... Porque aún no han entrado en combate, ¿verdad?...

Y, como el hombre permanece callado, se miran uno a otro, envarados, con los ojos vidriosos.

—Atienda —dice él de repente, con tono bajo y apremiante, todavía junto a la estantería y algo inclinado hacia delante—. Quedan diez o quince minutos o media hora para que acabe esta noche... aunque no es algo que a ninguno de los dos nos importe mucho. Dice que los muebles están seguros en su sitio. Espero con toda el alma que siga así, y no sólo por los muebles. Pero antes le he dicho algo que, mientras usted hablaba, lo he entendido no sólo con la razón, sino también con el corazón, lo he entendido mejor que nunca hasta ahora: en este mundo ya no hay nada que esté seguro en su sitio. ¿No le molesta tanta luz?... Discúlpeme... Así. Por favor, no lo malinterprete, no quiero distraerla con luces ambientales. Pero tal vez esté más cómoda a la suave luz de la lámpara de la mesa, sin que la deslumbre la del techo... Mejor entonces. Bien. Y ahora préstame atención, querida visitante nocturna, Única Ola... —Se interrumpe al pronunciar el nombre de la joven y en la sala se impone un silencio denso. El nombre flota entre los dos, como algo etéreo y material. En la quietud de la joven hay algo del silencio reseco y esperanzado de las plantas cuando por fin se vuelven hacia su destino, el viento y el sol. Al pronunciar el nombre, él ha extendido el brazo hacia ella en un gesto involuntario: como si tocara algo que se ha materializado en el aire, en la penumbra, en el tiempo—. Única Ola —repite, más bien en un susurro—. Quería preguntarle algo.

—Adelante, pregunte —lo anima ella en el mismo tono susurrante.

—Porque tal vez esta noche no sea tan apacible como las demás —preconiza el hombre con la mirada fija en el suelo, como si escudriñara la niebla. Sus labios se mueven sin emitir sonido. Luego parece recapacitar, mira intensamente a los ojos de la joven y, cambiando de tema, pregunta—: ¿Cómo se siente en mi casa?... Me refiero a esta sala, a este sillón.

—¿Que cómo me siento? —replica ella despacio, sorprendida por la pregunta—. Pero si ya está viéndolo, me siento perfectamente, y el anfitrión es tan atento como...

—Como los húngaros en general —apunta él esbozando un ademán para restarle importancia—. Perdóneme, no lo preguntaba para que haga cumplidos a mi nación. Lo que quería saber es si esta habitación le resulta familiar. Y la situación. El hecho de estar conmigo... ¿No me entiende? Me refiero a una familiaridad en sentido literal, es decir, no a una situación que se nos presenta muy similar a otra y que, presas de una ilusión, creemos que hemos vivido ya, haber estado en la misma habitación, con una persona, con quien la relación se nos antoja conocida... Sí, e incluso sabemos lo que ocurrirá en el instante siguiente, como si recordáramos algo que, curiosamente, parece que ya haya

104

sucedido, pero que en realidad no ha ocurrido... Ése es un fenómeno conocido. Sin embargo, no estoy hablando de eso, sino de la realidad, de una realidad de carne y hueso que, en efecto, es de carne y hueso, como usted... discúlpeme, y olvídese de los cumplidos. ¿A usted esta situación no le resulta familiar? Me refiero al hecho real de estar aquí, en mi casa. Estar otra vez aquí, en este sillón, con la cabeza echada atrás, apoyada en el respaldo... que tal vez volverá a quedarse impregnado de la suave fragancia de su cabello.

—No entiendo —dice ella.

—¿No entiende? ¿O no se acuerda?

—¿Acordarme? ¿De qué? —pregunta la joven con dificultad; de pronto parece asaltada por el sueño, como si hablara ya medio dormida.

—¿No recuerda haber estado en esta sala?

—¿Yo? —Cierra los ojos y se lleva la mano al corazón como si le doliera—. No —añade con voz ronca, remota, entornando los párpados.

Permanecen callados.

Por un momento, la estancia desaparece a su alrededor. Como si se encontraran en silencio en medio de un bosque o en las profundidades del mar. Como si la verdosa penumbra fuera una antigua y familiar extensión de la vida, del agua o la memoria, y los recuerdos, más antiguos que ambos, nadaran con aletas pesadas y aceitosas por el silencio de la penumbra verdosa. ¿Es posible que ya hayan coincidido en el ciego y alarmante entramado de la existencia, las circunstancias y las oportunidades? El cuarto es ahora ancho y hondo, como el pasado.

Y en ese pasado, cuyo caudal rompe los diques del presente, están ahogándose una mujer que ha cerrado los ojos y un hombre. Sobre ellos, más allá del desván y los muros, ruge el oleaje grave y oscuro de la ley de la superficie, la vida. Más corrientes profundas, verdaderas y silenciosas, como cualquier suceso importante, un beso, el hambre o la muerte, los arrastran a ambos. Es lo que hay bajo la superficie; lo demás es simple oleaje.

El hombre inclina el torso hacia delante, como cuando uno adopta una postura relajada; como el nadador antes de lanzarse al agua, al elemento familiar, donde hay olas frescas y caricias tibias, recuerdos del contacto de hace cien mil años, tiburones, profundidades que pesan como el plomo, destrucción armónica y muerte. El pescador de perlas se inclina con un gesto similar en la orilla, y en ese momento se aligera la fuerza de la gravedad que lo ata a la tierra y se zambulle en el agua, donde tan escasas posibilidades tiene de hallar la perla entre tiburones, remolinos, algas y plantas, entre la maraña blanda y verde de la oscura arena. ¿El pescador de perlas?... La noche anterior había entrado por casualidad en un local y sobre el escenario, acompañado del romántico ronroneo de la orquesta, un patético cantante bramaba al micrófono precisamente las penas melifluas y mareantes del pescador de perlas.

El instante pasará enseguida, piensa, y retomarán la conversación, luego vendrá la despedida, y después, por la mañana, la vida: con los vivos que emprenderán la marcha hacia la muerte y los muertos que se asomarán por encima del hombro de los vivos. Pero este momento aún me pertenece y no se repetirá en mi vida. Ahora no soy ni joven ni viejo, no hay pasado ni deber, no hay familiaridad ni extrañeza: ahora sólo está el instante.

Se inclina hacia la joven y la besa con un gesto sencillo y natural.

El instante pasa y se miran con los ojos muy abiertos. Él vuelve a apoyarse contra la estantería, de brazos cruzados y con la mirada fija en el suelo, inmóvil y serio. Ella permanece con la cabeza echada atrás; sus manos, blancas y abiertas, descansan inertes en los brazos del sillón, como si estuviera pidiendo algo o se ofreciera en sacrificio. Y, dado que siguen sin hablar, el silencio ahonda el recuerdo del beso. El beso es un hecho y podría ser uno de los tantos que, propiciados por un momento especial, intercambian hombres y mujeres millones de veces; un beso, porque en el fondo de la vida humana está el beso; un beso, porque sólo a través del beso los cuerpos pueden exteriorizar lo que persiguen a lo largo de la vida; un beso, porque entre hombre y mujer sobran las palabras. El beso ya es un hecho, pues ha llegado el momento, ese momento inaplazable, en el que todo lo que pueda ocurrir sin que medie el beso carece de sentido. Es ese gesto ávido e inevitable, ese encuentro torcido y maravilloso de dos epidermis resecas, por encima de costumbres, impulsos y ritos; ese mordisco dócil; ese gesto de rapaz domesticado que el hombre aún conserva en sus nervios y labios como atavismo de lo que, en los inicios de los tiempos y la vida humana, era temible, sangriento y mortal... Se han besado porque no han podido evitarlo. Y no dicen nada.

Se trata de un silencio carente de patetismo, como si temieran interpretar el beso erróneamente incluso en silencio: darle un sentido distinto, más retorcido o falso que el que perciben en ese momento, cuando las ondas derivadas del mismo empiezan a recorrer su cuerpo y su sistema nervioso. ¿Qué clase de beso ha sido?, se pregunta él. Hay besos que enlazan y unen, y hay besos que aclaran las cosas y separan de inmediato. Quienes se besan —¿acaso es una acción, o un beso de verdad más bien sucede?— saben ya al instante siguiente si se trata de un beso que une o separa. Hay besos ligeros que flotan en el trastero de la memoria como adornos de colores de una verbena... Éste ha sido uno de esos besos ligeros que a veces el instante esparce, como la mano divina el confeti sobre los bailarines de un vals. Y, ya que no sabe responder a su pregunta, calla.

Ha sido un beso familiar, decide entonces. Y de pronto lo embarga una extraña serenidad. Hay momentos en que la vida madura y todo se vuelve profundo y sencillo, tanto como debe de serlo el instante de la muerte. Es lo que siente ahora, cuando oye su propia voz susurrante.

—A lo mejor sí es esta noche —susurra—. Has dicho, Única Ola, que hay una noche que no puede imaginarse, que sólo puede conocer la persona que la ha vivido. Una noche única en la vida, en la que uno siente que se alzan contra su persona fuerzas sobrehumanas, que también los planetas arremeten contra él, contra la persona y su vida... Tú viviste una noche así en la casa donde murió tu padre, donde vivieron y fallecieron tus antepasados. Creo que es cierto: hay noches así... Tú has tenido tu noche y ésta ha sido la mía, la noche de hoy, en la que has vuelto a mí y te he besado, como besa uno a la persona a quien despide y saluda al mismo tiempo. Has llegado de lejos, pero siempre has estado cerca de mí. ¿Lo sabías?

—¿A qué te refieres? —pregunta ella sin abrir los ojos—. Siempre estás de camino hacia la persona que un día llegará a besarte.

—¿Eso crees? —inquiere el hombre, más animado—. ¿Y eso es todo lo que sientes?... Cuando has aparecido en mi despacho, me han entrado ganas de reír. Tenía la impresión de que fuerzas infernales querían burlarse de mí y también de ti. Debes saber que antes ya habías estado en mi casa.

—Estás soñando. Yo vengo del norte y jamás he estado en tu casa.

—Del norte o de más lejos —apunta él, serio—. Pero, si estoy soñando, se trata de un sueño que también influye en la vida y la realidad. Hay sueños así y poseen una fuerza alarmante. Sólo nuestros ancestros tuvieron sueños de este tipo, tan intensos, tan cercanos a Dios, al centro del mundo: sueños que han dado a luz la realidad, tribus, ciudades y situaciones humanas. En verdad, no entiendo por qué soy yo quien tiene esta clase de sueños, yo, que no soy nada ni nadie, y mucho menos un padre ancestral. Soy un hombre que, siguiendo su destino, desempeña un cargo y posee toda clase de atributos y condiciones para vivir y soñar. Pero debe de ser que la vida elabora lo prodigioso a partir de ingredientes ordinarios (de hecho, el cuerpo de cualquiera también está formado a partir de ingredientes ordinarios, ¿verdad?, y sin embargo el conjunto, el hombre, es una maravilla absoluta). Esta noche tú y yo somos simples componentes de un juego o de la creación, cuyo sentido último tal vez jamás lleguemos a entender. Esta noche somos dos componentes asombrados... Deja, Única Ola, que nos asombremos, que seamos merecedores de que la vida nos haya escogido para vivir algo extraordinario. Así que no nos pongamos sentimentales, ni nos burlemos tampoco de esta maravilla.

—¿De qué maravilla? —pregunta ella, tranquila.

—¿De qué maravilla? —repite él, pensativo—. Pues de la que implica que, a través de la oscuridad y del mundo que arde en ella, hayas encontrado el camino y llegado hasta mí.

—He llegado, de eso no hay duda. Pero no ha sido fácil, porque para ello necesité pasaporte, visado, ferrocarril, y todo eso hoy en día constituye una empresa engorrosa... Tampoco he venido del infierno y no es nada seguro que lo hiciera para verte a ti especialmente. No, querido, querido extraño o querido amigo, aún no lo sé, todo esto no tiene nada de maravilloso. Tal vez llegue a serlo algún día, si...

—Calla, por favor —pide el hombre—. Ahora ha llegado esta noche y sólo eso importa. Tu cuerpo y el mío se han citado en medio del caos de la existencia, pero nosotros, tú y yo, que en nuestra conciencia somos independientes del cuerpo y el alma, no hemos concertado la cita de antemano. ¿Entiendes? Debes comprenderlo, porque si lo comprendemos dará sentido a esta noche y quizá a nuestra vida entera... No creas que me ha trastornado un súbito deseo o una emoción efímera. Estoy hablando de la realidad. De la realidad que significa tu cuerpo y tu rostro, y lo que eres o lo que no eres del todo. ¿Quién eres? Tal vez seas también aquella que vistió la realidad como un traje mágico, pero que una vez, en esta misma habitación, preguntó: *Tell me, my Heart, is this be Love?*... ¿Conoces el verso?

—No —responde ella con hosquedad—. ¿Cómo sigue el poema?

—No importa. Lo escribió un lord inglés que se dedicaba a componer poemas... Y luego un día me dijiste que lo que más te gustaba era la serenidad. Y todo eso fuiste tú, pero sólo como tus uñas y tu cabello, que si los cortas, vuelven a crecer; eres tú, pero no más que tus uñas y tu cabello... Al parecer, los seres humanos podemos existir en multitud de formas. Pero nosotros sólo contemplamos y vivimos algunas de ellas. Hasta ahora no lo había comprendido: lo he entendido hoy, cuando has entrado en el despacho y has hecho revivir en mí algo que latía en mi interior, profundo e inverosímil, como un fuego antiguo en una mina, que en la superficie sólo recuerdan los ancianos.

—¿Estás diciendo que yo no soy plenamente yo? —pregunta ella con curiosidad—. Menuda idea, amigo mío...

—Una idea maliciosa —admite él—. A mí también me sorprende. No puedo decir lo contrario.

—¿Y tú?... ¿De dónde vienes entonces y quién eres para ti y para mí? Acabaremos perdiéndonos si divagamos así acerca de nosotros mismos y los demás. ¿No te da miedo?

—Un poco, sí —reconoce con aire grave—. Y creo que es lo único que temo en la vida, sólo eso. Y tenía que llegar esta noche para que me diera cuenta de ello. Ahora lo sé. En las últimas horas también me he percatado de otras cosas: la gente no teme a nada tanto como a reconocer lo que acabo de decir: el instante en que la vida se quita la máscara y muestra lo que se ocultaba con tanto celo y empeño tras el antifaz, el yo no es algo tan personal como habíamos pensado dejándonos llevar por nuestro orgullo y amor propio. El yo es algo que compartimos, Aino Laine, algo que se repite, se copia varias veces, se mezcla y renueva sin cesar, y no es necesariamente personal. Debes saber que, cuando te he dado un beso, no sólo te he besado a ti, a una mujer que ha vuelto mí por los recovecos del mundo, sino también a otra mujer, de quien tú formas parte y que, muerta y desaparecida, sigue siendo un elemento integrante de lo que tú llamas yo.

—Pero ¿qué dices? —protesta la joven en tono ronco—. Todo esto me irrita. Yo soy yo de forma plena y sé dónde empiezo y dónde termino... Ya no vivimos en el mundo de los mitos, sino en este mundo, y tenemos un destino que sólo nos pertenece a cada uno de nosotros.

—Eso es justo lo que dudo de un tiempo a esta parte —señala él con toda tranquilidad.

—Si es así, entonces no eres tú quien duda, sino la noche a través de ti. Hay noches así, en que la gen-

112

te acude a un baile de máscaras... La noche te habla y tú contestas turbado. Despierta, amigo mío.

—La noche me ha hablado, y hay que contestar. Pero lo maravilloso de esto es precisamente la verosimilitud. Es fantástico que la maravilla, que el destino, tenga carne y hueso, que se presente de forma tan palpable, con visado y pasaporte... Es casi más maravilloso que si se presentara entre vapores sulfurosos, truenos y relámpagos. Es extraordinario, milagroso que la maravilla resulte tan cotidiana y real. Debo confesar que no lo sabía. Hay muchas cosas que he ignorado hasta ahora. Los libros... ya ves, Única Ola, los libros allí en la estantería no hablan de ello. Y yo los leí y viví, y pensé que la letra y la experiencia me habían enseñado los secretos de la tierra y el cielo, en la medida en que me lo permitía la edad y mis condiciones de vida. Porque también es estupendo, Aino Laine, que la maravilla me ocurra justo a mí, a mí, que no soy un elegido, no soy de los que hablan personalmente con los dioses y los señores del infierno a través de sus obras y actos. Soy un simple mortal cuyo nombre aparece en la guía telefónica, y que, según se dice, es capaz de redactar actas oficiales con precisión... eso es todo. Creía (porque nosotros, la gente anodina, tampoco podemos vivir sin una tarea) que era capaz de observar la realidad con objetividad y agudeza, y partiendo de los elementos de la observación lograría deducir la voluntad que provoca los fenómenos... Ésa era mi tarea, si no mi deber en el mundo. Pero ahora ya no creo en ello sin reservas. Debo reconocer, querida, que el mundo se ha enmarañado ante mis ojos... No hace mucho que ha ocurrido, apenas unas horas. Cuando has entrado en mi despacho a mediodía.

—No lo entiendo —señala la joven, cansada, como si su angustia, sorpresa y rechazo hubieran disminuido—. En todo esto no hay nada maravilloso. He venido a verte porque me aseguraron que eras la persona que tal vez podría ayudarme a conseguir visado y empleo. Y esta noche me has besado. No había imaginado así las cosas, pero, ahora que ha sucedido, confieso que no me siento irritada ni desilusionada. Es cuanto puedo decir, y ni siquiera se trata de una confesión. Nada más.

—Nada más —repite él—. Pero sí hay algo más. Tú no has venido por tu propia voluntad, querida Única Ola; perdóname, pero todavía no sé cómo llamarte.

—No importa cómo me llames —responde algo turbada—. Te diriges a mí y eso es lo importante. Lo demás son palabras y conceptos.

—Cómo se nota que eres mujer, querida —replica él, y suelta una risita—. Lo que has dicho sólo podría haberlo dicho una mujer. ¿No sabes que la palabra y el concepto a veces equivalen a los actos y la realidad? El hombre, con palabras y conceptos, ha nombrado los fenómenos del mundo, y entonces éste se ha convertido en actos y realidad. Al inicio de los tiempos, la palabra tenía un poder inmenso: daba forma al mundo. Un poder que se conserva hasta nuestros días, aunque de manera deformada y cruel. Suenan algunas palabras y el mundo cambia... por ejemplo, esta habitación deja de ser un lugar seguro, lo que podría suceder antes de lo que crees. —Y ríe tristemente.

—¿De qué hablas? —pregunta ella en tono apagado, mirándolo con atención.

—¿Que de qué hablo? —Él alza la vista al techo con cierta exasperación—. Pues de las palabras y los conceptos, y de lo que sucede si las palabras se enlazan adecuadamente y los conceptos se revisten de palabras y se pronuncian con todas sus consecuencias... Pero tal vez no sea tarea nuestra aclarar la importancia de las palabras y los conceptos esta noche única y breve... ¿Dices que da lo mismo cómo te llame? Sin embargo, tu nombre no es ninguna casualidad, aunque en finés suene como Zsuzsika Kovács. No es casual que encierre dos conceptos tan apasionantes para el hombre: «única», que implica sufrimiento y obsesión (pero qué sufrimiento y obsesión tan importantes para el hombre y la mujer, que siempre están de camino el uno hacia el otro para encontrar al único), y «ola», que es un concepto antiguo, anterior a la tierra y al hombre: esa ola que no cesa de traer y llevar las cosas al infinito, que junta lo ocasional y lo rutinario, que enlaza lo único y lo transitorio. Aino Laine, tienes un nombre precioso. No es casualidad que te llames así.

—Por fin algo que reconoces como incondicionalmente mío —ironiza la joven con una débil sonrisa.

—Tuyo, porque ese nombre te buscó a ti en el mundo. Pero tú misma... no, tienes razón, querida invitada, no divaguemos. Quedémonos en los hechos concretos, ¿quieres? Así que has venido sin más, desde el norte, con visado y pasaporte, a nuestro país, al sur. Una simple casualidad, un proyecto hecho realidad. ¿Es eso lo que crees?

—¿Casualidad? —repite ella, despacio—. Sin voluntad y sin personas que busquen su lugar en el mundo no hay casualidad que valga.

—Entonces, ¿buscas tu lugar en el mundo porque la casa donde naciste, tu hogar, se derrumbó por obra de este terremoto humano y mecanizado? ¿Qué esperas, Única Ola? ¿Dónde está tu tierra firme?

—No puedo saberlo —responde con seriedad—. Tal vez en esta sala. —Y como el hombre calla, ella sonríe y añade—: No temas. He dicho diez o como mucho quince minutos, ¿verdad? Sé que la hospitalidad también tiene sus límites, incluso entre países amigos. Y los diez minutos han pasado.

Se endereza y con la mano busca el bolso negro de abalorios. Él hace un rápido gesto de protesta.

—Quédate —pide con voz ronca—. ¿Cómo se te ocurre irte? No es cuestión de minutos, sino de algo esencial que nunca volverá. Quédate, insisto. ¿Así que viniste a mí a propósito desde el norte? ¿Me buscabas a mí en el mundo?

—Exageras. Pareces nervioso. Nosotros, la gente del norte, también somos personas intranquilas, siempre estamos preparados para partir. Pero ponemos cuidado en que la voz y los gestos no delaten nuestro nerviosismo. Espero saber disimularlo... —añade con un deje de malicia juguetona—. ¿Tú qué crees?

—Lo haces muy bien. Llevo toda la noche observándote. Eres muy disciplinada... no haces ningún gesto superfluo ni precipitado. En el sur podríamos aprender mucho de ti, querida visitante del norte.

116

—Gracias. —Levanta la mano y se la contempla como si fuera una flor—. Pero ahora no vengo del norte —aclara.

—Ah, ¿no? —pregunta él, un tanto desconcertado—. Es verdad, has dicho que después de la noche en que las arañas te alertaron y el hombre que pretendía sustituir a tu padre se mostraba intranquilo... que después de esa noche te fuiste a París. ¿Vienes de allí? ¿Qué impresión te causó la ciudad?

—¿Qué impresión? Hace tiempo que me marché de allí. Luego estuve en otra parte, más lejos... —Y vuelve a señalar al aire con gesto vago—. Cuando uno no tiene un hogar, de pronto el mundo se vuelve muy pequeño... Puedes ponerte en camino como las aves, como las... sí, como las gaviotas que hemos visto esta mañana. Sólo que las personas no podemos viajar tan ligeras de equipaje —añade con seriedad—. Necesitamos artículos de tocador y de aseo, un vestuario, y también cargamos con los recuerdos. Por eso nos cuesta tanto volar. A veces los recuerdos nos arrastran hacia abajo. Es una pena.

—Sí, una gran pena. Yo también podría contarte cosas sobre los recuerdos...

—Ya me las contarás algún día —lo ataja ella—. Preguntas qué me pareció París la última vez que estuve allí... Pues bastante igual que tu ciudad esta noche. También fui a la Ópera...

—Ah, la Ópera —sonríe él, condescendiente—. En el mundo había cosas así de bellas, expuestas como en una vitrina: una velada en la famosa Ópera de París; los actores y bailarines evolucionando en el escenario, y, entre el público, millonarios sudamericanos y también franceses, éstos bajitos y viejos, con fracs mal cortados, las gotas de sangre roja de la Legión de Honor en el ojal, poseedores de riquezas inmensurables guardadas en cajas fuertes; con el corazón repleto de egoísmo y el alma repleta de la razón y las ideas de Pascal... Y luego, al acabar la función, se ponía en marcha una comitiva de coches por la avenida delante del noble edificio, por la rue de Rivoli, hacia los Campos Elíseos, camino a los restaurantes, donde se reunían los integrantes de aquel mundo, todos los que vivían en el lado soleado de la realidad. A veces yo también me quedaba al margen, observando. Y en ocasiones incluso llegué a pensar que nosotros, hijos de pueblos pequeños, siempre seremos huéspedes pobres y despreciados en esa clase de riadas rutilantes, donde la corriente del golfo de la fortuna y el poder calientan las costas de los países afortunados... ¿No pensaste en ello durante tu última noche en París?

—Quizá. Aquella noche pensé en muchas cosas. En realidad, mi última noche parisina se asemejó mucho a esta misma velada. Sí, es posible que las maravillas no sean tan irrepetibles como suponemos... Si te referías a eso cuando has dicho que no soy plena e incondicionalmente yo, tal vez tengas razón. Porque esta noche me da la impresión de que se repite algo y no puedo evitar pensar en París. Como he dicho, fue una velada preciosa, en la Ópera... Estaba sentada en un palco, rodeada de toda la gente que pretendía lucirse. No, el presidente de la República no asistió aquella noche... Quién sabe, quizá tenía otro compromiso. Pero la última vez que fui a la Ópera de París no fue una noche cualquiera... lo digo para que lo sepas.

—Si te apetece, cuéntalo. Seguramente tienes buenas razones para hacerlo.

—¿Razones? —La joven esboza una mueca y acomoda su esbelto cuerpo en el sillón—. Razones, dices... Esa palabra sólo la usan los hombres. A veces se dicen o se hacen cosas sin razón, simplemente porque tienes la ocasión de decirlas o hacerlas. ¿Nunca has experimentado ese impulso?

—No. Me enseñaron que es preferible decir y hacer las cosas de acuerdo con alguna razón. Aunque los libros —señala los estantes rebosantes de volúmenes— también tratan de eso. Pero nos habíamos quedado en París —le recuerda.

—Hablábamos de la Ópera. Al terminar la función, como decías, en la salida se formó la consabida comitiva de coches —precisa ella, sin prisa alguna, eligiendo las palabras adecuadas con esmero, como suelen hacer los extranjeros—. Era una noche cálida. ¿Has estado en París durante la guerra? ¿No? Se ve tan grande, tan insegura, tan temblorosa... Como un enorme organismo que intuye su sombrío destino y se entristece al saber que toda la cháchara de los periódicos y los políticos apenas cuenta ya. De pronto comprende que está sucediendo algo que ninguna fuerza humana puede cambiar. Tantos discursos en el Parlamento y en la prensa, tantas charlas en las tabernas y cafeterías, que ya duran cien años, tanto sufrimiento, tantas ideas y tantas pasiones... todo eso se condensa y queda adherido al destino. Y de pronto, el inmenso y armonioso organismo, una noche de principios de verano, se estremece. La gente va en coche al Bois, en las esquinas las farolas despiden un brillo tenue, como de cuento. Al claro de luna, París parece un monstruo maravilloso sacado de una fábula: tiene forma pero carece de peso, se percibe ingrávido. Tal vez la ciudad nunca haya sido tan bella como esa noche, sumida en la oscuridad. Se percibía cuanto sucedía tras las paredes, lo que se había pensado alguna vez en esas casas, se oía palpitar la ciudad adormilada... Aquella noche sentí todo el egoísmo de París, pero también su gran corazón, aunque ya fuera incapaz de reaccionar. Nadie estaba ya seguro de nada. Por las noches, los restaurantes se llenaban de elegantes oficiales, ingleses y franceses, de caballeros de frac y damas ataviadas con sedas y pieles, salpicadas de piedras preciosas y fragancias, con todo el exceso rutilante de un mundo opulento... En el Fouquet los camareros portaban con orgullo las pesadas bandejas de plata, y en las salas de la Tour d'Argent los mozos sacaban brillo con sus delantales azules a añejas botellas de Burdeos de sesenta años. Pero eran meros rituales simbólicos, mágicos se diría, como cuando en la oscuridad alguien canta en voz alta para ahuyentar el miedo. Y las farolas de las esquinas vacilaban como los fuegos fatuos que se ven en los cementerios durante noches fantasmagóricas. París tenía miedo... Al salir de la Ópera y cruzar la ciudad, el aire cálido me transmitió un hálito de miedo desde la oscuridad. Me estremecí. Era un miedo inteligente, triste, como el de quien ya lo ha sopesado todo y de repente entiende que existe algo más fuerte que el egoísmo, la mentira, el dinero, la codicia, más aún que la generosidad y la pasión. Íbamos en un coche grande y silencioso por la ciudad a oscuras, que callaba atemorizada. Era un vehículo diplomático, de la embajada, así que la policía nos permitió salir de París... porque aquella noche íbamos más lejos. Dejamos la capital y cruzamos Versalles, en dirección al parque de Saint-Cloud. Pasamos por un bosque. Era una noche excepcional, tan fragante y cálida como si la tierra soñolienta extendiera sus brazos hacia el estío; ésa era mi impresión... bueno, en realidad no son palabras mías, sino de mi acompañante, que iba a mi lado en el asiento trasero, un hombre ya maduro y que amaba todo lo que es bello: la noche, el bosque, París, la buena sintaxis... Fue él quien lo dijo cuando penetramos en el bosque y los faros del coche barrieron los lindes del camino, y entonces los finos troncos de los árboles parecieron moverse a la luz espectral, como si el toque del haz luminoso despertara a unos seres encantados, etéreos y asustados. Así viajamos aquella noche... ¿Por qué me miras así? ¿Hay algo en especial que quieras saber? Pero ¿para qué, amigo? Hay noches en que el pasado no importa, eso pensabas hace apenas unos minutos, cuando me has besado, ¿verdad? (Por otra parte, de no ser así, tu beso no hubiera sido muy cortés.) Y hay noches en que las palabras hermosas no suenan a falsedad... como si no fuéramos nosotros, los protagonistas de la noche, quienes las pronunciáramos, sino la noche misma. Así sonó a mi lado aquella voz, cuando llegamos al bosque en aquel coche amplio y silencioso. «Es como si la tierra soñolienta...», me dijo. Pero no voy a repetirlo. Ya ves, para palabras como ésas también se requiere un instante único, irrepetible... Habíamos pasado por Versalles, que relucía al claro de luna. Dejamos atrás las altas verjas de puntas doradas y avanzábamos raudos, pero de repente no supe dónde estaba. Miré el cielo (íbamos en un descapotable), que estaba surcado por los haces plateados de los reflectores, como si brazos fantasmales acariciaran el oscuro firmamento. Reinaba un silencio profundo, toda Francia dormía... sólo trasnochaban los militares y los enamorados. Nadie estaba enterado de nada. Mas el hombre que iba a mi lado era uno de los pocos que aquella noche sabían algo... sabía que acaso fuera la última velada tranquila de París. La gran ciudad y el bello y extenso país dormían, dormían despreocupados, pues la prensa y los políticos llevaban meses explicando con argumentos rimbombantes que los *boches* eran inofensivos y la línea Maginot, infranqueable, que Francia no podía ser vencida y que lo más importante era mandar naipes y puzles al frente estático para entretener a los pobres soldados aburridos... Dormían, pero sus sueños eran inquietos, porque la gente, en el fondo de su corazón, intuía la verdad, aunque no pudiera demostrarla con datos y palabras. La gente sabía que aquellos días su destino cambiaría, que algo había dado comienzo, que determinadas fuerzas se habían puesto en marcha y empezaban a actuar en el mundo... Y aquella noche los enamorados se abrazaron con más fuerza. Aquel hombre, que viajaba a mi lado en la cálida noche, en el asiento trasero del gran automóvil, era de los pocos que sabían que dos días después el ejército alemán emprendería la invasión de Bélgica y Holanda.

La joven saca el mechero dorado del bolso de abalorios negros, extrae un cigarrillo inglés de una pequeña pitillera dorada y lo enciende. La habitación en penumbra se impregna del aroma dulzón del tabaco.

El hombre la observa. Tiene la impresión de que la joven se transforma ante sus ojos con cada palabra que pronuncia, con cada gesto... Le resulta familiar, dolorosa y alarmantemente familiar, aunque también le parece que se estuviera poniendo y quitando disfraces y máscaras a cada instante.

—Qué curioso —dice en voz baja y ronca—. Debe de ser una situación muy peculiar... la de pasar una noche con alguien que tiene una información de la que nadie más en el país dispone. Pero a ti te dijo lo que sabía, ¿verdad?

—Me lo dijo más tarde —responde ella, mientras observa con ojos entornados el humo aromático y embriagador—. A la mañana siguiente. Sí, la situación fue interesante. Porque el coche se detuvo en medio del parque de Saint-Cloud, delante de un palacio, y todo resultó tan mágico como en un cuento. ¿Quieres oírlo? ¿Te interesa?

—Mucho —dice él, y traga saliva involuntariamente—. Me interesa todo lo referente a ti y lo que te sucedió.

—Oh, todo —repite ella, y hace un ademán desdeñoso con la mano del cigarrillo—. «Todo» nunca tiene mucho interés... lo interesante es siempre el momento. El «todo» acaba convirtiéndose en un dato del registro civil: nació, vivió y murió. Pero el detalle y el instante a veces resultan realmente sugestivos. Porque entonces París y Francia entera lo ignoraban también todo y la gente dormía profundamente, aunque con sueños inquietos. El destino se halla ante la puerta y la gente duerme, ¿no crees que eso también es increíble? A veces la vida es algo más que la mera existencia. A veces la vida es acción... Despiertas del sopor de la existencia y de pronto te das cuenta de que estás en medio de una acción, tú, un pobre actor desprevenido... Eso fue lo que sentí aquella noche. El coche se detuvo ante un palacio, en medio del oscuro parque, lejos de París y Versalles. Bajé; todavía seguía oyendo en mi cabeza la música, los instrumentos cuyos sonidos habían colmado el teatro de la Ópera y el corazón del público: como si la música difundiera por el mundo el eterno patetismo de la raza humana y fuese lo máximo que el hombre es capaz de sentir y expresar. Aquella noche, aquella noche de mayo en el tierno bosque, mientras los reflectores escudriñaban el cielo oscuro, yo estaba en compañía de un hombre fuerte y silencioso. Era mayor y se hallaba próximo a la muerte, pero tal vez en aquellos momentos vivía con mayor intensidad que los jóvenes, y además sabía algo... Yo ignoraba qué, pero sentía curiosidad. Porque, por el hecho de guardar un secreto, irradiaba una especie de tensión o fluido energético. Los hombres sois seres interesantes, querido anfitrión, acepta este cumplido, déjame corresponder de esta manera a tu caballerosa hospitalidad... y no es precisamente en la acción cuando más atractivos resultáis. El ideal del hombre en acción no es más que una obsesión masculina, pero nosotras, las mujeres, sabemos algo más, y los hombres, al madurar y atesorar experiencia, a veces llegáis a vislumbrar ese otro secreto. No sé qué nos deparará la vida, e ignoro qué y quién eres para mí, y si te veré después de esta noche. Y tampoco sé qué ni quién soy yo para ti y si querrás volver a verme cuando acabe esta noche. Porque la relación entre las personas a veces cambia en cuestión de horas, y en el poco tiempo que llevamos juntos quizá hayas visto que no soy del todo la profesora con beca llegada del norte que a mediodía te ha pedido un visado y ayuda en tu despacho. De igual modo, en este momento tú tampoco eres ya el funcionario ceremonioso y sorprendido que, a mediodía, preguntaba el nombre de mi madre y mi fecha de nacimiento. Ahora nos vemos de otra forma, porque se ha operado un cambio. Aquel hombre mayor, en el parque francés, también cambió aquella noche, y reconozco que resultaba muy atractivo e interesante... sí, porque tenía un secreto, que entonces aún guardaba con celo, es decir, tenía fuerza. Porque un secreto bien guardado te hace fuerte. Y tiempo después me encontré con otro hombre maduro que sabía algo que el mundo ignoraba, también tenía un secreto que guardar... ¿Me expreso bien en húngaro?... Fíjate en lo que digo, por favor —pide impostando voz de colegiala.

—Te expresas perfectamente —asegura él—. Con cuidado y preocupación, pero perfectamente. Sigue, te lo ruego. Así que el que tiene un secreto tiene fuerza... ¿y dices que volviste a toparte con un hombre así?

—Sí, con otro más. No hace mucho. Pero es una historia bastante común y no creo que te interese.

—Tal vez sí... Sí, creo que me interesa —resuelve como discutiendo consigo mismo—. ¿Me lo contarás si te lo pido?

—Quizá. No lo sé. Esta segunda historia la considero un asunto privado... Quizá te la cuente a su debido tiempo, si aún quieres.

—Eso me consuela —replica él con gesto serio.

La joven no sabe si está mofándose de ella, y lo observa fijamente entre las volutas de humo.

—Si eso te tranquiliza... —dice al fin, encogiéndose de hombros. Ladea la cabeza y lo mira pensativa—. Pero estábamos hablando de otra cosa. De una noche que no constituyó del todo un asunto privado. ¿Prosigo?

—Estoy ansioso por oírlo —asegura él con la misma seriedad, que dificulta distinguir cuánto contiene de ironía, indiferencia o interés—. Nos habíamos quedado en esa noche, lejos de París, en el parque, delante de un oscuro palacio, en un vehículo diplomático, en compañía de un hombre ya mayor, pero fuerte por ser capaz de guardar su secreto. Al menos durante cierto tiempo —precisa—. Porque por la mañana te lo contó, si mal no recuerdo.

—Lo recuerdas con toda exactitud, amigo, y sabes resumir los hechos con precisión.

—Es mi trabajo —afirma él con humildad.

—Tu trabajo —murmura la joven, pensativa. Se le nota en la expresión, por los ojos brillantes y atentos, que mientras guarda silencio está calibrando al hombre, analizándolo—. Pues sí, entonces escucha —prosigue al fin—. Ya lo sabes, aún faltaba mucho para la mañana. Entramos en el palacio... Nunca había imaginado que existieran lugares así. Resultó que era un hotel... Mas las palabras tienen infinidad de significados: aquel edificio era un hotel en la medida en que Blücher era general igual que Napoleón... pero, además, Napoleón era Napoleón. ¿Me entiendes? No sé explicarlo mejor. Era un palacio estilo Imperio, a setenta kilómetros de París, en pleno bosque. No se podía llegar en tren, sólo en automóvil. Y quienes conocían aquel establecimiento guardaban con celo sus señas, como si fuera un secreto de Estado. Por ejemplo, los ingleses no podían ir, sólo franceses... Pero no cualquiera, sino esos franceses diferentes, como se denominan a sí mismos, o sea, nada de porteros, comerciantes avaros, periodistas bullangueros o pequeños burgueses en mangas de camisa y con renta vitalicia, sino los franceses invisibles, quienes de verdad conservan en su casa y su estilo de vida la esencia de otro tipo de identidad francesa, y la guardan con gran escrúpulo, como los sacerdotes de antiguas religiones custodian sus ritos y cultos... Los viajeros y los periodistas extranjeros que pasan tres semanas en París informan sobre una Francia de gentes egoístas que viven de sus rentas, donde los comerciantes carecen de modales y los camareros son insolentes, porque no piensan más que en la propina. Como si París, el París de siempre, sólo existiera en los museos y las tiendas de anticuarios... Pero, en alguna parte, aún quedan franceses. ¿Que si son héroes? Tal vez, a su manera... Porque después de tomar asiento en el comedor y de que se alejara el *maître d'hotel*, mi acompañante me explicó que heroísmo significa defender algo de una forma desinteresada:

127

un país, un estilo de vida o un recuerdo y un culto. En aquella sala, donde cada pieza de mobiliario era una verdadera obra de arte, cenaban héroes, héroes a su manera. Todo parecía de novela, sí, imagínate: el hotel había tomado su nombre de una novela de Balzac, *El lirio en el valle*. ¿La novela?... Bueno, es romántica, costumbrista... Y los clientes del restaurante recordaban en algún detalle a uno u otro personaje. No voy a aburrirte con los pormenores de la decoración, ni a pasarme la noche con la descripción de los muebles... Todo el hotel era extraordinario, y tan singulares y maravillosos eran los modales de los camareros y el *maître* como los platos que servían, a setenta kilómetros de París y en plena guerra... Estábamos tan lejos del mundanal ruido que daba la impresión de que, con la ayuda de una misteriosa máquina del tiempo, mi acompañante y yo habíamos descendido a un mundo mítico, a un estrato más profundo de la historia. En el hotel reinaba la paz, mas no la clase de paz que, allá fuera, el tiempo ya había hecho añicos, la paz de los abogados dedicados a la política, de la gente avara e ignorante que vive de sus rentas. Era como si nos hubiéramos sumergido en el tiempo... Mi acompañante me explicó que aquel hotel era de los pocos lugares del mundo donde aún se sentía algo de lo que Talleyrand había definido como la «dulzura de vivir» y que, según decía, sólo podía conocer quien hubiera vivido en tiempos anteriores a la Revolución. Aunque era un palacio de estilo Imperio, teníamos la impresión de habernos remontado a épocas más allá de la Revolución. Los comensales, damas y caballeros que conocían a mi acompañante, nos observaban con empatía, con esa empatía con que se saludan los miembros de una familia cuyos lazos se hallan más allá de las circunstancias y los acontecimientos, por encima de razas y culturas, con una intimidad que no se explica a partir del rango ni de la posición social, sino a partir del recuerdo de formas de vida históricas... Y además nos observaban con el mismo interés con que probablemente se mirarían los presos en los calabozos de la Conciergerie, sobre todo aquellos a los que en la madrugada los aguardaba el mismo destino. Por supuesto, más que a mí, observaban a mi acompañante, e incluso con cierta devoción. Porque él era famoso y quienes estaban en aquella suntuosa sala sabían que era un privilegiado, una persona ante la cual, pese a la guerra, no se alzaban fronteras ni obstáculos, y que su voz, independientemente del idioma en que hablara, llegaba lejos... Por supuesto, miraban como si no nos vieran, con discreción y orgullo, aunque en el fondo habrían dado cualquier cosa por estar en mi lugar aquella noche, a nuestra mesa... Y también experimenté la certeza de que una noche como aquélla sería irrepetible, que jamás volvería a darse y que yo no era más que un ínfimo tornillo en el secreto engranaje del mundo, una persona llamada a interpretar un papel... Fue una sensación maravillosa. Y la cena resultó asimismo extraordinaria, pues daba la impresión de que en aquella isla se desconociera lo que era la guerra y la miseria, el sufrimiento y la desesperación. El Lirio en el Valle aún no había sufrido los estragos de la guerra, de modo que todo cuanto el mar, el suelo francés y ultramar podían brindar en aromas, sabores, comidas y bebidas, el hotel lo ofrecía a sus huéspedes. Las mujeres que cenaban con franceses famosos me examinaban con curiosidad descarada, a mí, a la desconocida, sentada a la mesa del hombre privilegiado... y aunque era una sensación con la que no estaba familiarizada, debo admitir que tampoco me resultaba desagradable. Porque quienes cenaban en aquel palacio en medio de un silencioso parque francés eran los poderosos de Francia, célebres pero sumidos en el anonimato. Mi acompañante los conocía, me susurró sus nombres, y entonces también reconocí a algunos de ellos: al político gordo que siempre fumaba en pipa, al presidente de la Asamblea Nacional, al propietario de una fábrica de armas de renombre mundial, a una famosa y veterana actriz del teatro estatal, a todos esos ricos y poderosos célebres o aclamados, a los elegidos que parecían salidos del museo de cera de Madame Tussaud, que sabían muchas cosas pero ignoraban la verdad. La verdad sólo la conocía mi acompañante. Y había algo aterrador en ello. —Se reclina en el sillón y, por un instante, se tapa los ojos con las manos—. ¿Has experimentado esa sensación? —pregunta casi con crudeza, al parecer espontáneamente—. ¿Esa clase de poder? Estar entre personas que se creen poderosas, pero saber que mañana o pasado serán más pobres que el más miserable de sus servidores, más débiles que quienes han cumplido sus órdenes con sumisión y a pie juntillas. ¿La conoces? Es una sensación extraña. El poder terrenal cobra muchas formas y este saber mudo entre la gente no es el menos atractivo. Quien haya saboreado una vez esta sensación difícilmente podrá renunciar a ella. Resulta muy emocionante vivir entre la gente, interpretar un papel en la representación social, conversar y sonreír según las pautas establecidas, pero, entretanto, ser conocedor único de algún dato sobre el destino de los otros, estar en posesión de alguna información distinta y más trágica que la que ellos conocen. ¿Crees que no es muy humano? Tal vez sea demasiado humano. Creo que no existe emoción exaltada, peligro imponente, ni delirio febril que supere en turbación y fuerza esa situación y ese conocimiento. Es un delirio sobrio, excepcional... ¿no te parece un delirio sumamente elegante? El delirio, querido amigo, los sentimientos intensos, nunca son elegantes. La vida es algo inmundo, no es aséptica ni huele a colonia... En las más importantes situaciones humanas siempre hay algo chocante y fascinantemente ordinario, como ocurre en la vida cotidiana. Eso lo aprendí después de dejar mi hogar, ya sabes, cuando ya no había hogar, aquella casa donde durante un tiempo todo fue aséptico y olía a lavanda y donde, sin embargo, una noche, por las limpias paredes empezaron a deslizarse las arañas. Ese hombre sabía lo que sabía y con toda probabilidad era consciente de la gravedad de la situación, y disfrutaba igual que el habituado a drogas potentes disfruta del tabaco fuerte. Mientras sentados en un rincón de aquella hermosa sala comíamos langosta y paladeábamos un vino añejo, conversando en voz baja sobre nimiedades, ese hombre era consciente de que todo aquello, el palacio, los huéspedes y aquel estilo de vida, flotaba entre el cielo y la tierra, existía y no existía. Se mostraba sereno, poco hablador y de buen humor. Hace una noche preciosa, insistió; en su mano, el cristal tallado de su copa de vino despedía reflejos rubíes como si alzara el cáliz de un sacrificio pagano. Desde las otras mesas no dejaban de lanzarnos miradas cautelosas. Y aquel hombre, sólo él en la sala, sabía que aquella gente rica y famosa, a quien la vida había permitido volar en una alfombra mágica por encima de la realidad, al cabo de unas semanas pasaría la noche junto a la carretera, en pajares o en automóviles inservibles, entremezclada con miles y miles de personas que deambularían por los caminos empujando cochecitos de bebé o tirando de carros de varas cargados con lo poco que habían salvado del patrimonio y la familia. Lo sabía y sonreía, correspondía con gestos educados a los saludos discretos de conocidos políticos y magnates que gobernaban continentes enteros, y pensaba: «Pasado mañana.» No; tienes razón, no es un sentimiento muy elegante. Pero, pensándolo bien, la vida tampoco es muy elegante... ¿no crees?

—Mi opinión es que se puede saber y callar de muchas maneras —observa el hombre, que ha estado atendiendo con semblante serio, y se encoge de hombros—. Por ejemplo, por lo que cuentas, tal como sabía y callaba tu acompañante: como si ese saber fuese una especie de placer. Pero también se puede saber y callar como si uno cumpliera un deber, aunque en este caso poseer esa información no resulta tan emocionante ni tan divertido. Éste es mi parecer, que te expongo ya que me lo has preguntado.

Ella lo mira con ojos joviales, como si oyera divertida las reflexiones de un niño. Luego se inclina

132

sin levantarse, afectando una ceremoniosa reverencia ante el discurso.

—Oh, no pensaba que fuera otro, por supuesto... —dice con leve ironía—. Tú eres muy serio, eres la disciplina y el deber personificados. Debes de ser un funcionario ejemplar. Seguramente jamás revelarías un secreto. Y creo —añade con un murmullo, como si hablara consigo misma— que tampoco lo harías más tarde, a la mañana siguiente.

Él se endereza y se estira con movimientos ágiles.

—No te he prometido nada, Única Ola —le recuerda, lanzándole una mirada—. Ni secretos ni otra sorpresa. Lamento no poder ofrecerte ese tipo de entretenimiento al que te habrás acostumbrado en Occidente. Debes conformarte con lo que hay aquí, en provincias, ya sabes... —añade, y exagera un gesto de resignación.

La joven ríe. Alza las rodillas, se acomoda en el sillón y dice en voz baja y los ojos brillantes:

—Eres demasiado atento y, por tanto, irónico y severo... No tienes por qué preocuparte; si eso te tranquiliza, te diré que estoy pasándolo muy bien contigo, querido anfitrión. Pero ya ves, aún eres joven si sientes, aunque sea a veces, que tarde o temprano llegará la hora de decir adiós a la juventud. El hombre de quien te hablo contaba ya más de setenta años por aquel entonces, cuando, hacia la medianoche, paseó la mirada por los huéspedes del restaurante mientras pensaba: «Pasado mañana.» Cumplidos los setenta, creo que un hombre disfruta de otra forma de las palabras y las situaciones vitales. ¿Te parece que estoy en lo cierto? Contéstame.

—Claro que te contesto, ya que, Aino Laine, tú sabes mucho, sorprendentemente mucho, sobre todo teniendo en cuenta que te preparabas para dar clases a los lapones en el norte, pero que luego optaste por la ciudad... Al escucharte, he llegado a pensar que lo sabes todo sobre los hombres, hayamos cumplido los setenta o tengamos por delante aún ese importante aniversario. Entonces bien sabes que nosotros, los hombres, siempre acabamos contestando cuando la mujer pregunta a tiempo y adecuadamente, y revelamos todos los secretos, aunque sea a la mañana siguiente... Porque aquel hombre asimismo lo reveló a la mañana siguiente, aunque ya hubiera cumplido los setenta, ¿verdad? ¿También era de estilo Imperio el mobiliario de las habitaciones? —inquiere con expresión afable.

La mujer echa la cabeza atrás, al tiempo que entorna los ojos y lo mira con recelo.

—Esa pregunta no ha sido muy respetuosa, querido anfitrión —declara con frialdad.

—Perdón —se excusa él—. Acabas de decir que la vida tampoco es nada elegante. Además, las preguntas que nos formula la vida o nos pone en los labios... esas preguntas tampoco pueden ser siempre inevitablemente educadas.

—Así que eso crees —replica ella con un deje de desdén. Consulta el reloj de pulsera y añade—: Bien, son las doce pasadas. Creo que es hora de seguir mi camino.

—¿Seguir? ¿Adónde?... ¿Te repliegas, Única Ola, a una dimensión donde no hay hogar y de donde emergiste para presentarte un día? A lo largo de nuestra conversación he pensado que era tarde...

134

—Es tarde puesto que son las doce pasadas —replica ella, fría y cortante—. ¿O tarde para qué?

—Tarde para decidir algo entre nosotros dos —precisa él, tranquilizador—. Algo o alguien ya ha tomado la decisión por nosotros. Y todo fue por eso... Perdóname, era eso lo que sentía mientras hablabas, sobre las arañas y los hombres mayores que saben callar, pero que al final acaban hablando. Y de la noche que no se repite y de lo fabuloso que resulta estar con alguien que sabe algo que los demás ni siquiera intuyen. Sí, es tarde, querida —insiste, vehemente—, lo sé desde hace un rato, desde hace unos minutos. Porque ahora te irías en vano y yo en vano te dejaría marchar... Las personalidades que fuimos y somos y las situaciones que hemos vivido y vivimos ahora han iniciado una danza desquiciada, contigo, conmigo y con otros, y esta danza debe bailarse hasta el final, esta noche u otra. Se trata de un baile embrujado —matiza muy serio. Y al ver que la mujer guarda silencio, añade con crudeza y resolución—: Así que préstame atención.

Se pasea lentamente por delante de la estantería, con la cabeza gacha, como si estuviera solo en la sala. La mujer lo sigue con la vista, inmóvil, con las piernas juntas, los brazos cruzados, erguida en el sillón, como una estatua exótica y delicada, tallada de una materia frágil y exquisita por las delicadas manos de un artista ocioso.

Ahora hay que prestar mucha atención, piensa él al pasar por delante de la librería. Avanza lento, con la cabeza baja, por un lugar bien conocido, y sin fijarse en los libros, pues sabe que nadie puede darle consejos. Ten cuidado, se dice. Es un baile embrujado... el día y la noche resultan excepcionales por igual, cargados del mismo contenido.

Hoy está sucediéndome algo, a mí y al mundo al que pertenezco... Y que algo «ocurra» en realidad es un fenómeno extraño. Por lo general, la mayoría de las veces, la gente y las cosas simplemente flotan. Pero hoy sí está sucediendo algo pleno... Así que ten cuidado. Porque si ocurre algo, es porque tiene que ser así y nada podrás hacer para impedirlo: es Dios en persona quien te habla en ocasiones como ésta. Pero si lo interrumpes y te entrometes atolondradamente en lo que acontece por orden divina, todo pasará al plano humano y se volverá turbio y efímero. Así que mucho cuidado.

Y piensa asimismo que Ili también se sentaba así en ese mismo sillón. A ella también le gustaba el color negro, como a toda mujer de piel tan clara, aunque solía combinarlo con algún detalle de tono vivo, un broche o un lazo, un complemento rojo, azul celeste o verde claro, como una síncopa que contrasta en una melodía solemne. Aino Laine es más disciplinada... Pero debo andarme con cuidado, pues siento que estoy perdiéndome. ¿Ha vuelto de verdad Ili? El cuerpo se parece, sí... pero ya he oído su voz, que no es careta ni disfraz, sino íntimamente suya, al igual que su nombre y su destino. Debo entender que la vida hoy quiere algo de mí... A mi alrededor se arremolinan situaciones, personajes, destinos, como si yo mismo estuviera saliendo de cuanto ha constituido una dimensión segura en mi vida y girara en el remolino de este baile embrujado. ¿Qué sucederá al amanecer? ¿Desaparecerá esta ilusión? ¿Volveré a quedarme solo, con mi recuerdo, y sabiendo que ese recuerdo pervive paralelamente en la vida y la muerte, que es al mismo tiempo caducidad y realidad, dolor y posibilidad...? No; sería excesivo, no podría soportarlo otra vez. No quiero que vuelva a irse, no quiero que desaparezca al amanecer.

Se detiene en medio de la habitación, ante la joven. Se sienta en el brazo del sillón y toma el familiar rostro entre las manos. Ella no se inmuta. En la penumbra, los rasgos de ambos apenas se distinguen con nitidez.

—No quiero que te vayas otra vez —murmura él, inclinándose—. Ya que has regresado de la tumba, del norte o de Occidente, quédate. ¿Lo harás?... Seguro que sí, de lo contrario no hubieras venido. Aunque en realidad no has venido, Aino Laine, sino que te han mandado. ¿Quién te envía? ¿Dios?... Pero ¿no es un signo de envanecimiento pensar que Dios, el infinito, entre la infinidad de posibilidades, tenga tiempo y ganas de entretenerse con nuestros dudosos e insignificantes destinos, de ocuparse de detalles tan nimios? ¿O tal vez la verdadera fe, creencia y convicción piadosa e irracional consiste justo en pensar que Dios, en el infinito, también se ocupa de cada uno de nosotros, con tanto o más esmero del que dedica al universo? En torno al amor siempre ha habido culto, tanto en el norte como en el sur, ceremonia, acto religioso, como si los enamorados fueran mensajeros divinos ante los hombres desamparados de la tierra.

137

El amor sólo se ha convertido en juego y estado de ánimo en Occidente... Pero nosotros, tú y yo, ¿somos occidentales? A veces tengo mis dudas. Y en ocasiones también pienso que el amor es una especie de exacerbación nerviosa aguda y morbosa, cuyo fin no es «dar» o «recibir» como creen los enamorados... Es un trastorno que puede convertirse en algo trágico, un desequilibrio nervioso que deberíamos superar. A veces lo pienso. Pero luego sucede algo y nos damos cuenta de que esa exacerbación nerviosa llena la vida, no con el ardor de la pasión y el delirio, sino simplemente como acción, una acción lenta, tenaz, en estado de incubación, como un proceso fisiológico, una ley natural, más fuerte que cualquier otra cosa. La gente seguramente tiene buenos motivos para pensar que el amor es más poderoso que la muerte, que abre las tumbas... De hecho, desde hace unas horas creo que esta anticuada y manida imagen poética es pura realidad, acción y práctica. ¿Quién eres? Muéstrame tu rostro, mujer conocida... Sí, así son tus ojos, éstos son tus labios, éste el mohín de tu boca, el gesto malicioso y cruel de un niño herido y desengañado, un mohín ofendido; todo esto es una realidad que ha revivido. Y no volveré a dejarla escapar. Tranquilízate, pues con independencia de tus intenciones en la vida, de la intención que tengas contigo o conmigo, no puedes hacer nada, y por muy enigmáticos y tortuosos que sean los caminos que te han traído hasta mí, desde el extranjero o el más allá, no has venido por tu propia voluntad, sino que te han enviado. No te temas ni a ti ni a tus intenciones, Única Ola... Ya ves, tampoco yo me temo a mí mismo ni a las mías. No quiero que te vayas otra vez... No es fácil decirlo, teniendo en cuenta que la ley de la repetición es, al parecer, tan dura e inalterable como la ley del cambio, y quien acepta el cambio debe prepararse para la repetición, es decir, para cuanto ya le causó dolor y humillación, lo que, sin duda, también se repetirá ahora. ¡Pues que se repita! Aún no he cumplido setenta años y mi secreto tampoco tiene mucho interés. Lamento, Aino Laine, no poder ofrecerte un escenario tan emocionante como tu célebre amigo te ofreció en una situación similar, en aquel parque, entre los famosos comensales del fastuoso palacio. Las situaciones se reiteran, también lo has dicho, y dentro de cada situación se repiten las personas y sus secretos... Sin embargo, hay diferencia en los matices; eso, la importancia de los matices, es algo que he aprendido incluso antes de cumplir los setenta. El matiz, escúchame, es lo que al final constituye tu propia personalidad... lo singular, aquello que sólo es tuyo y en lo que no te repites ni compartes con nadie. Porque lo que eres y lo que soy, y nuestra situación y nuestro secreto, si lo hubiera, todo ello existe según la ley, y por tanto es repetición. Sin embargo, nos diferenciamos en los matices, gracias a ellos nos convertimos en identidades tenues, ligeras sombras que disfrutan del libre albedrío individual. Tú y yo sólo nos reconocemos en los matices. Lo demás es resultado de la ley. Y una ley sólo puede contemplarse sumisamente, como todo lo relacionado con Dios. Hay personas que ven la historia de la humanidad como manifestación terrenal y rudimentaria de la ley de la repetición; existen sabios de las ciencias naturales, historiadores y poetas que

139

observan al hombre como la repetición del mismo fenómeno a lo largo de una obra trágica e impersonal. Mas, pese a su aparente humildad, ésa es una forma arrogante de ver las cosas. Maeterlinck afirma que si fuéramos capaces de grabar al hombre con una cámara de cine a través de los instantes de la historia, en los fotogramas siempre veríamos la misma figura esbozando los mismos gestos, y del conjunto de miles de millones de imágenes aparecería una sola forma impersonal y una única acción impersonal. Pues ahora somos justo nosotros quienes aparecemos en la cinta de celuloide, tú y yo, y ejecutamos los mismos movimientos que el ser humano (siempre en pareja) ejecuta orgullosamente desde el principio de los tiempos, en el éxtasis ilusorio de la personalidad. Ésta es una de las partes que nos componen; la otra son los matices... Leonardo da Vinci fue «matiz», es decir, que en algo se distinguía de todos sus contemporáneos y de quienes lo precedieron. De la misma forma, Dante y Beatriz se convirtieron en símbolos y se distinguieron a través de sus matices... ¿Qué es el matiz? La intensidad del sentimiento, la intimidad de la respuesta con que el eterno actor reacciona ante la situación en la eterna película, ante la situación del hombre y el mundo... Esta diferencia es la que constituye la verdadera personalidad. Es lo que nos entregó Dios, para que tuviéramos también responsabilidad; y luego nos abandonó. Y a veces, cuando me fijo en lo que se rebela contra la divinidad en mí, en la gente y (según dicen y se intuye en el fondo de la conciencia humana) en los ángeles, siento que es realmente una tarea sobrehumana soportar esa responsabilidad, esa diferencia mínima, o sea, la responsabilidad de poseer una personalidad intransferible. Dios gratificó y castigó terriblemente al hombre cuando nos dio un poco más, más allá de la repetición y la impersonalidad impuesta a rajatabla (porque estamos hechos en serie, formados siempre por dos partes; el ser humano solo no existe, no puede crearse per se, únicamente puede ser producto de la mezcla química del hombre y la mujer, lo que es ya motivo suficiente para ser humilde). Sí, Dios, a modo de regalo y de castigo, nos dio un matiz que hizo que Leonardo da Vinci fuera quien fue, y que tú, Única Ola, también seas tú, no una simple continuación y repetición... Esto es lo que soportamos con dificultad, nosotros, el compuesto químico, la gente... Contra eso batallamos, lo acosamos a preguntas, esa parte es la que se atreve a alzar su rostro hacia Dios en el momento de la rebelión; la personalidad es lo que eres tú y lo que soy yo. Y es también lo que buscamos en el otro, con una pasión llena de celo; vamos en pos del matiz y la diferencia, pero al mismo tiempo es contra lo que luchamos encarnizadamente. Fíjate en ellos, en los hombres y las mujeres, hojea un periódico, lee la historia de la humanidad, la historia de amor de célebres parejas y de cuanto nació de esas relaciones en forma de obra y desgracia... Siempre ha sido el matiz lo que choca, lo que se busca, discute, repele, mata y abraza. No hay lectura más interesante y edificante que las historias de amor. ¿Has hojeado alguna vez ese otro libro de historia que informa sobre la realidad oculta tras las batallas, los tratados de paz y las luchas libradas bajo estandartes? Detrás de los grandes y célebres relatos, detrás de los descubrimientos, las conquistas o las desgracias, siempre encontrarás una pareja. La pareja que se forma más allá de situaciones repetidas, de personas repetidas, y se distingue de cualquier otra relación humana. Adán y Eva, César y Cleopatra, José y la esposa de Putifar, Manon y Des Grieux, Tristán e Isolda, Napoleón y Josefina, parejas obstinadas y apartadas en su existencia matizada, en su soledad cristalina. Tal vez el hombre nunca esté tan solo como cuando el destino lo extrae de la masa y lo designa parte de una pareja. Es algo que conviene saber ahora que ha llegado una noche en que está pasando algo, contigo, con nosotros, en esta casa, con la gente en esta calle y en el mundo; y cuando tu rostro se halla tan cerca del mío... Dentro de la gran pareja, la persona es siempre solitaria, y defiende algo encarnizadamente: el matiz, la personalidad. Es lo que defienden las parejas célebres, los grandes personajes, las parejas elegidas y legendarias: la personalidad, la diferencia, o sea, la parte divina del hombre, sin la cual todos seríamos iguales. Y tal vez por eso la gente perciba una especie de halo de heroísmo en las parejas célebres, y por eso dentro de la historia humana los grandes amores posean una fuerza mística. Así se explica el sinfín de acontecimientos y los cientos de millones de tragedias humanas ocurridas en cientos de miles de años que ni siquiera han merecido ser noticia ni ocupar un lugar en la historia de la humanidad: cuántas historias de horror, cuántos malentendidos, huidas, asesinatos, desavenencias y suicidios; cuánta fuerza y cuánto talento desperdiciados. Ésta es otra guerra detrás de la visible, la guerra de las parejas, pero no hay historiadores que den parte de ella. Lástima, pues no deja de ser una guerra, Aino Laine, que se cobra no pocas víctimas mortales. Y la persona que esté al corriente de ello, a una determinada edad y tras haber atesorado cierta experiencia, sopesará las oportunidades de la vida y la muerte al inclinarse para besar a una persona que se repite, pero que, por desgracia o quizá gracias a Dios, también es diferente. Y al final termina besándola, ya ves... pese a toda su experiencia, y tuteándola y pidiéndole que se quede. Pero ¿a quién se lo dice? ¿Una parte a la otra parte dentro de la pareja o el matiz a la diferencia? Es difícil de saber. Tal vez pienses que se trata de una pregunta vanidosa... En calidad de mujer, vives próxima a los hechos. Las mujeres aceptan con gusto los hechos a modo de respuesta y piensan: «Me ha besado, es un hecho. Entonces, ¿por qué continúa hablando?» Pero yo soy un hombre, para mí el hecho no es la respuesta. No, el hecho constituye, en realidad, la pregunta que debo desentrañar con el buril de la razón para obtener una respuesta; de otra forma no puedo vivir. Veo un destello en tus ojos. ¿Acaso crees que se trata de una obsesión lamentable? «Pues pregunta, pobre hombre»: ¿es eso lo que estás pensando? «Pregunta pues, si crees que de otra forma no puedes vivir.» Oh, pobre de ti. Leo en tus ojos ese pensamiento; te dices: «El hecho es el cuerpo, el hecho es el beso, el hecho es la pareja, aunque ésta sea igual a todas las demás; ¿qué más quieres?» Es eso lo que piensas, ¿verdad? Y a tu manera eres sabia al pensarlo, Única Ola. Y reconozco que me resultaría de lo más cómodo resignarme a esta sabiduría, aceptar el hecho y luego vivir en él, convivir con él, a través del hecho y en el hecho, como actúa la gente en general cuando le sucede algo. Tu ser, el brillo de tus ojos, tu sonrisa, esa sonrisa compadecida, orgullosa e irónica, todo eso está clamando: «¿Por qué te esfuerzas, criatura desdichada? El hecho es mucho más simple...» Es lo que está diciendo todo tu ser y tu sonrisa, desde el mismo instante en que has entrado en mi vida, mejor dicho, en que has reaparecido en mi vida (y perdona que insista, pero, ya que se trata de una manía, más vale que sea obsesiva). A ti la realidad se te antoja una respuesta; en cambio, yo la considero una pregunta... Ésa es la diferencia entre nosotros, dentro de la pareja; es decir, es la diferencia entre hombre y mujer, entre otras cosas. Permite, acepta que también conteste a mi manera. Quiero responder con sencillez: no nos apartemos de los hechos. ¿Quién eres tú? Ya he aprendido tu nombre, lo pronuncio con fluidez, de eso no cabe duda. Tu nombre, que es incondicionalmente tuyo y con el que designo lo extra que hay en ti, ese matiz tuyo, tu personalidad. Llegas del norte, donde la casa en que naciste y creciste fue destruida, porque un día aparecieron arañas desquiciadas en la pared del baño y el perro sabueso danés se arrimó a tu falda, inquieto... Eso son hechos, ¿no? Parece sencillo, ¿verdad?... Pero, ya ves, a veces los hechos resultan alarmantemente complejos. No existe pregunta enrevesada, ideada por la razón humana, que el hombre pueda plantear al mundo, que pueda ser más compleja que un hecho, que la propia realidad cotidiana. En los preliminares de los hechos, ¿qué se mueve en la realidad, Única Ola? El hombre que pretendía ocupar el lugar paterno junto a ti y en la casa, y luego al lado de tu madre, y que siempre decía: «Te ruego que me escuches.» Y las fuerzas que cierto día se pusieron en marcha en el mundo, cuando las arañas y el perro las percibieron con nerviosismo. Las fuerzas que barrieron la casa con un simple gesto, una casa que se alzaba en la costa, donde pasaste la infancia y tu padre leía el *Kalevala*, la gesta heroica que da cuenta de nombres tan bellos. Las fuerzas que de los escombros de tu hogar en la costa te llevaron lejos, a Occidente, a París y aún más allá, que te alejaron de tu familia, ¿por qué? La bomba que destruyó el hogar familiar, ¿tenía algún objetivo? ¿Cumplía la misión de ponerte en marcha? ¿Acaso de alejarte de tu país de inmensos bosques y cientos de lagos, según nos informan superficialmente las guías turísticas, a nosotros, a los parientes lejanos, de quienes os separasteis antaño, hace mucho tiempo, cuando las migraciones de los pueblos, si es que esa información es cierta...? Lo digo porque la historia de nuestro parentesco es algo confusa, Única Ola... No es que reniegue de nuestro pasado común, sólo me parece que se trata de un asunto algo complicado, pese a las palabras familiares y emparentadas que los lingüistas analizan en las universidades, tanto en Helsinki como en Budapest. Somos parientes, sin duda alguna, y el parentesco no sólo lo prueba la raíz común a ciertos vocablos, sino los sentimientos, que siempre son más fuertes que ciertas palabras. En el tremendo caos que debió de imperar en tiempos de las migraciones de los pueblos, cuando éstos emprendieron el camino en busca de ese mundo que entonces aún no se llamaba oficialmente Europa (y se mezclaron y separaron etnias, tribus y raíces de palabras), en ese tremendo caos nacieron muchos lazos, incluso entre pueblos que carecían de raíces léxicas comunes, pero también se rompieron muchos vínculos de parentesco entre pueblos que en el lacónico lenguaje ancestral se entendían mutuamente y que habían mezclado su sangre en el campo de batalla y el lecho nupcial... Grandes épocas aquéllas, parecidas a la de hoy, a la nuestra. Sangre, lengua, costumbres, formas de vida, intereses, todo revuelto y mezclado, fermentándose en una gran artesa, en las mesetas de Europa, desde el Mediterráneo hasta los bosques nórdicos, fuerzas salvajes que fraguaron a los pueblos, todo lo humano desbordado, el mundo, una riada, una única ola... ¿No es cierto? ¡Una Única Ola!... Ahora me doy cuenta de que en un tiempo tu nombre también era acción e historia. ¿Recuerdas aquellas épocas novelescas, querida pariente? Yo sólo turbiamente, en ese sueño profundo que no proviene del cerebro y sus conexiones nerviosas, sino de la personalidad anterior a la persona, de ese ser arquetípico que va repitiendo los mismos gestos en la película didáctica de la historia de la humanidad... Es posible que ya nos hayamos encontrado hace dos o tres mil años, entre Zeus y Odín, en algún momento, por un instante, en una horda de celtas o vándalos: tú te asomas entre las cortinas de un carro de dos ruedas para ver una pelea, y yo muestro mi razón a unos nómadas y avaros pechenegos. Y nuestra mirada se cruza por un segundo. ¿Es posible? ¡Claro que sí! Somos una familia pequeña, Única Ola, una familia compleja que se mezcló tremendamente en el pasado y el presente, manchada de sangre y embriagada por recuerdos míticos, como toda familia llamada a cumplir una misión y una empresa en el mundo. Luego nos asentamos, uno aquí, otro allá, durante mil o dos mil años. La europea es una familia inquieta, ¿no crees? Pues sí, bastante nerviosa. Y todos los parientes ricos, ya sabes, los de Occidente, que fundaron sus familias y sus Estados sobre los despojos de hogares celtas, todos sabían que nosotros habíamos quedado rezagados por los caminos de la migración, unos más al sur, otros más al norte, es decir, fuera de las zonas privilegiadas donde olas y corrientes tibias calientan el agua y las costas. No nos han hecho mucho caso. Y por eso nosotros, que optamos por algo distinto, lo hemos grabado en nuestra memoria. Nos recordamos unos a otros y a nuestra familia. Y más adelante, encontramos las raíces comunes de nuestros idiomas. Y aún más tarde, tú has cruzado el vestíbulo de la Ópera de esta ciudad, te has detenido al pie de la escalinata, con esas pieles blancas sobre los hombros, esbelta y extraña, pero sintiéndote tan en casa como pueden haberse sentido los hijos e hijas de mi pueblo que acechaban a la orilla de un río o en el claro de un bosque, cuidaban del ganado o perseguían una presa. Es posible que en ese momento, después de haber venido del lejano norte, también acecharas una presa... Todo esto es un hecho, Única Ola, ¿no es así? Un hecho, no una ilusión; ni brujería ni un fuego fatuo. Se trata de un hecho. Mas ¡qué extraños son los hechos! No hay cosa más terrible ni extraña, sí, no hay nada más incomprensible que los hechos, el orden y el sistema en que se enlazan los elementos de la realidad. No hay cuento o leyenda más emocionante e inverosímil que los simples acontecimientos. Esta noche me he dado cuenta... Porque ¡cuántas cosas tuvieron que suceder en el mundo para que hoy llegaras a adoptar esa postura al acecho al pie de la escalinata de la Ópera de una ciudad desconocida! Un pueblo pequeño emprende la lucha y otro pueblo... bueno... Espera, no divaguemos, atengámonos a los hechos... Después te fuiste a París, una noche cenaste en algún lugar del parque de Saint-Cloud, en un restaurante de reminiscencias novelescas, con una persona que ya era fuerte, porque tenía sus años y un secreto que custodiaba con celo. Secreto que guardó bastante bien hasta la mañana siguiente; otros tal vez lo hubieran revelado antes. Eso también puede constatarse. Y en el restaurante había muebles estilo Imperio, y me figuro que las habitaciones se hallaban decoradas con un mobiliario de idéntico estilo, ¿no me equivoco, verdad? Perdona si mi pregunta es poco respetuosa, pero, al fin y al cabo, seguimos refiriéndonos a hechos. En algún lugar tenías que enterarte del secreto, y aquel anciano carismático te lo confió a la mañana siguiente, del mismo modo que en determinadas circunstancias, en las sociedades antiguas, tras la primera noche, la mujer recibe un valioso obsequio del hombre con quien ha yacido. Fue un regalo notable y hermoso, lo reconozco... Debió de resultarte una experiencia inolvidable despertar en un fastuoso hotel y saber que en las otras habitaciones amuebladas con exquisito gusto dormían los huéspedes, la gente célebre, los ricos, los pervertidos y los orgullosos del mundo entero, ignorantes de lo que tú sabías, y desperezarte soñolienta en la cama. Los otros desconocían el secreto que le robaste al hombre elegido, y al que en realidad despojaste a la vez de su fuerza, pues al perder su secreto también perdió su poder. Debiste de experimentar un sentimiento inefable... Eso asimismo es un hecho. ¿Y luego, Aino Laine? ¿Qué sucedió a continuación en el mundo real y en el infierno para que todo ocurriera según lo establecido en la ley y un día llegaras aquí, a este sillón, y te divirtieras a mi costa, a costa de quien cree que el mundo lo determinan las palabras y los conceptos? ¿Que por qué lo creo? Mi deber implica redactar conceptos, nada más, y no es un cargo o un rango elevado... aunque pienso que tampoco es de los más bajos, porque en nuestro mundo (en cualquier época y en toda gran familia humana) redactar siempre ha sido un oficio secreto y sibilino. Pensándolo bien, Platón también se dedicaba a redactar (seguro que lo recuerdas de la universidad) y, hay que reconocerlo, no lo hacía nada mal. Él habló también acerca de la personalidad y el amor, si la memoria no me falla. Me refiero, como sabrás, a Fedro y Sócrates, cuando a eso del mediodía estaban tumbados a la sombra de un árbol, en las proximidades de Atenas, discutiendo si ama bien el que aparenta ser un amante apasionado o si es preferible amar a quien se mantiene sobrio y no corresponde al amor... Una pregunta acuciante, si recuerdas. Yo amé a una persona, lo cual también constituye un hecho. Y ahora de repente comprendo que más allá de las citas neuróticas que los creadores de noticias, películas y novelas definen como amor, entre el hombre y la mujer existe realmente algo fatal, irrepetible e inevitable, algo personal, algo que queda

149

por encima de este mundo y de la tumba. Por ejemplo, si esta noche bebiera cianuro (una idea descabellada, lo sé) no cambiaría las leyes ni solucionaría nada. Algo me obligaría a salir de la tumba para amarte, mejor dicho, para amar a la persona que tú eres ahora, más allá de la vida terrenal y la tumba. ¿Estás de acuerdo? Me alegra que me escuches con calma y que no protestes cuando trato de comprender (con la experiencia de mi trabajo a mis espaldas) las consecuencias de los hechos. Los astrólogos, que hoy en día ya no llevan un capirote en la cabeza y en su mayoría no son más que diligentes matemáticos, afirman que hay tres hechos que el libre albedrío del hombre no puede cambiar: el nacimiento, la muerte y el amor... Estos tres hechos son más poderosos que cualquier fuerza y voluntad humanas. Porque hay parejas, Aino Laine, dos personas arrastradas en el espacio una hacia la otra por una única ola, que no pueden evitar encontrarse, no son capaces de escapar la una de la otra, ni yendo al norte o al oeste, y tampoco a la India o a la tumba... Deben regresar en el espacio y el tiempo para reunirse. Y pasaba el tiempo y a mí muchas veces me parecía vertiginoso todo lo que éste me indicaba, hasta que un día lo supe... Y ahora lo confirmo. Esto también es un hecho, querida amiga. Y quien así te habla no espera nada de ti, ni milagros ni salvación. No espera nada, porque aún no es tan viejo, como tu sabio, que conocía de antemano un momento dado del destino. Pero tampoco es ya tan joven... y, fíjate bien, no lo digo ni con dolor ni con tristeza, sino con serenidad, Única Ola: ahora se ha ido la juventud, hace poco, aunque antes estuvo aquí, en esta estancia y en este cuerpo. Pero ya no está. Se fue hace poco, tal vez ayer o hace un año... Si aguzamos el oído, tú y yo tal vez lleguemos a oír el rumor de sus pasos rápidos por la escalera o en la calle oscura y silenciosa, en esta noche que (yo también estoy cada vez más convencido) es distinta de las demás. Y quizá no sea una noche tan importante para el mundo como la que pasaste en una suntuosa habitación de El Lirio en el Valle, cerca de Saint-Cloud... pero esta velada también posee su significado, para un pueblo o para varios, y asimismo para nosotros dos. Por eso, vivámosla con plenitud. La juventud pasó, sí, Única Ola, pero nunca te fíes de los hombres que lo digan con fingido dolor, señalando con aire presumido sus mechones entrecanos... Los hombres, siempre que lo sean de verdad, no se despiden de la juventud con emoción ni sentimentalismo. Ya sé que es un secreto lo que estoy revelándote, y tampoco ignoro que no es tan extraordinario como el que guardaba mi rival en el pasado, aquella noche; es un secreto modesto, propio de un hijo de una pequeña nación y además de una persona que no figura entre los privilegiados. Pero no por ello deja de ser una información valiosa, que te confío en señal de amor y devoción, en plena noche, con gesto caballeroso, porque yo también deseo regalarte algo. Eso que a vosotras, a las mujeres, os hace sufrir tanto y apresuraros a la iglesia y la peluquería para rogar a Dios y al esteticista, es decir, el momento en que la juventud se acaba, a nosotros los hombres en realidad no nos hace sufrir. Tal vez finjamos despedirnos y nos pavoneemos un poco, pero, en el fondo del corazón, sufrir, no sufrimos. Todo hombre suspira aliviado cuando se aleja la juventud; suspira e incluso ríe a hurtadillas. No se trata de un rasgo sublime del hombre, pero es la verdad. En ese momento adoptamos una actitud trágica ante el mundo, pero en el fondo es una actitud frívola y falta de sinceridad. No; todo hombre siente alivio cuando el compañero peculiar, fiero e inquieto que es la juventud se aleja de su vida y su organismo, de su cuerpo y su alma. Tal vez nos señalemos las sienes entrecanas con gesto triste y afectado, pero en nuestro fuero interno aplaudimos y lo celebramos. ¡Ya era hora!, nos decimos. Por fin se fue la juventud, esa loca feroz e infeliz, imprevisible y calculadora, sorprendente e inquieta, amable y excitante. Por fin nos quedamos a solas con nosotros mismos, un hombre con su ser, como dos hombres. Por fin se acaba el temor a perdernos ese algo que busca la juventud en su vagar desquiciado y agitado. Por fin se acaba el imperativo de emprender un viaje o dejar el trabajo perseguidos por ese compañero caprichoso que es la juventud, como si la vida fuera algo que pudiéramos perdernos... Por fin podemos atender y dedicarnos enteramente a nuestro trabajo. O al mundo, por completo. O a Dios, con todas nuestras fuerzas y total seriedad, porque, cuando la juventud pasa, de pronto sientes que en lugar de una compañera desquiciada, feroz e inquieta, es Dios quien llega a tu vida y se inclina sobre tus hombros. En todas las cosas de los hombres reina el orden, Aino Laine... un orden impresionante, a este y al otro lado de la tumba. Cuando la juventud se va, llega el instante en que los hombres se vuelven creyentes, de un modo distinto que hasta entonces, si es que antes creían, y ahora creen con toda sinceridad, si es que antes no creían así. No es que a partir de ese instante influya en ellos especialmente el ritual de las congregaciones o los preceptos de las religiones; no, no se trata de eso. Se hacen creyentes, como quien ya nunca estará solo, porque comprende que desde el inicio de los tiempos, hasta el final, jamás estuvo ni estará solo, ya que todo se halla en Dios: él, el hombre y el tiempo, y el elemento secreto en que se manifiesta el hombre, como ciertos ácidos en sustancias reactivas... Ése es el momento en que te despides de la juventud y recibes a tu huésped, a Dios. Aunque también recibes muchas más cosas: justo cuando se va la juventud, se consolida todo lo que hasta entonces parecía flotar y reverberar, también la imagen de la muerte y el amor. De pronto, al irse la juventud, la vida se colma de riqueza, de Dios, de muerte y de amor. Hasta entonces la existencia no había contenido más que inquietud y cambio... Tú has llegado en un momento como el que acabo de explicarte y por eso te he acogido —añade en voz baja, ronca, acercando el rostro al de la joven—, te he aceptado y conocido, según reza la Biblia, con ese término ambiguo. Como tenía que ser, has llegado en el momento oportuno. Cuando has entrado en mi despacho, he tenido ganas de reír, porque he creído que una ley, la ley de los números y de la repetición ordinaria, estaba gastándome una broma pesada. Te pareces, ¡Dios mío!... No, no es que te «parezcas», es que ¡eres «ella», ella en persona, ahora lo sé! Permíteme que te presente a ti misma... No tiembles, no tengas miedo, confía en mí, aunque ya sabes que los encuentros con uno mismo son siempre los que más conmocionan.

Has llegado en el instante oportuno, cuando la juventud acaba de partir. Porque antes, en el pasado, cuando nos encontramos por primera vez, aún no era el momento adecuado; por eso todo tuvo un desenlace tan trágico. Yo todavía no estaba listo para aceptarte, y tú buscabas y esperabas algo distinto de la vida; viniste a mí y luego te fuiste con otro, ibas y venías entre los dos, luego te ofendiste y nos dejaste a ambos. Eso fue lo que ocurrió. Pero, ahora que has vuelto, y en el momento oportuno, no podrá repetirse el trágico accidente, porque el otro ya no ejerce poder sobre nosotros. Sé que él sigue aquí en alguna parte, entre tú y yo, pero ya no tiene verdadero poder sobre nosotros. ¿No es así?... ¿No contestas? Has dicho que, cuando llegue la hora, me contarás el encuentro con ese otro, eso que consideras un asunto privado y sin importancia... Si recuerdo bien, lo has definido así. Pues cuéntamelo, ha llegado el momento. Y luego transcurrirá la noche dando inicio a todo lo que resta: tu asunto y el mío, el asunto privado del matiz y la diferencia. Y naturalmente, también el asunto del mundo, el destino de la gente que vive entre lagos y que emplea palabras que comparten la raíz con palabras de esta lengua en que te hablo... Seguramente no es ninguna casualidad que su destino también sea similar. El destino de los pueblos pequeños se forja sin mucha imaginación: es siempre el mismo sino el que los mueve a hablar y actuar, las mismas fuerzas y los mismos enemigos, eternamente... Porque, cuando esta noche concluya, nosotros también conoceremos la guerra que, como bien sé, es una ley universal, igual que Dios, el amor y la muerte. ¿Ibas a decir algo?

154

Sin embargo, cuando ella va a hablar, suena el teléfono: un sonido sordo, apagado, más que un timbre parece un murmullo. Él suelta el rostro de la joven y consulta su reloj de pulsera: las doce y media.

—Disculpa. —Rodea el escritorio y descuelga el auricular—. Sí, soy yo, yo mismo. A su disposición. —Luego guarda silencio; pasan dos minutos antes de que vuelva a hablar, y cuando lo hace, emplea un tono extraño, grave, como el de un desconocido, un tono que delata conmoción, alivio e incertidumbre—. Entiendo. Sí, entiendo. —Y agrega, casi entusiasmado—: Claro. No, nadie. En absoluto. Pues entonces... —Y con tono rutinario, oficial, se despide—: Su seguro servidor. —Con gesto lento y expresión reflexiva, cuelga el negro auricular.

Permanece de pie ante el escritorio, mirando fijamente el aparato. Después levanta las manos y se aprieta las sienes, y así sigue, como si hubiera olvidado por completo la situación: la habitación donde se encuentra, la joven que se ha incorporado en el sillón y que observa sus movimientos con ojos relucientes.

Por fin se recobra y la mira, sonriendo turbado.

—Discúlpame por la interrupción.

—No, no pasa nada. Sin duda se tratará de una noticia importante, a estas horas... Soy yo quien debe excusarse. —Se levanta y con actitud resuelta se coloca sobre los hombros las pieles blancas; recoge el mechero y la pitillera y los mete en el bolso negro—. Todo esto ha sido muy interesante —comenta, echando una ojeada a la habitación a modo de despedida—. Interesante y sorprendente para mí. —Entorna los ojos—. Creo que será mejor que me vaya. Quiero decir, antes de que amanezca. —Y cuando el hombre extiende los brazos en señal de protesta, interponiéndose en su camino, añade con una sonrisa amistosa—: No siempre conviene esperar hasta la mañana, querido pariente... A veces el día depara sorpresas que es preferible evitar. La noticia que acaban de darte seguramente será importante para ti y, tal vez, también para otras personas. Mientras hablabas, has cambiado por completo... Te brillan los ojos. Creo que debería dejarte ahora. Naturalmente, cuanto has dicho me ha resultado muy interesante y no me voy tan ignorante como cuando llegué... Ahora sé que no soy plenamente yo y que alguien me mandó a buscarte. Así es, seguro, y a lo mejor no sólo en el sentido en que piensas... Porque yo también tengo un secreto, para la mañana, y aunque no sea más fuerte por poseerlo, es un secreto y es mío. Y ¿qué más sé?... Me has invitado a una especie de excursión o viaje por tu vida, y ese itinerario ha empezado casi sobre una escoba, como el de las brujas en noches de plenilunio... Me ha resultado muy interesante y novedoso. Y he sabido que esta vez he llegado en el momento oportuno porque estás despidiéndote de la juventud, y en ocasiones así los hombres suelen reírse a hurtadillas... has dicho eso, ¿no? Y me he enterado también de que en esta sala y en esta ciudad las casas ya no están tan seguras, ni los muebles ni las personas que contengan, porque la guerra es una ley, igual que Dios, el amor y la muerte. Y esa ley también se encuentra en vigor aquí, en el país de un pueblo emparentado con el mío. He aprendido todo eso y ahora ya puedo irme satisfecha.

—Sabes muchas cosas, Aino Laine —reconoce él sonriendo, emocionado y turbado—. Y tienes buena memoria, porque has prestado mucha atención. Parece que entiendes de eso: sabes observar atentamente.

—Tal vez sea mi profesión —replica ella devolviéndole la sonrisa—. Al igual que la tuya es redactar. Cuando la casa y la vida a la que pertenece una mujer se derrumban, ella sale al mundo, ¿y qué puede hacer en él? Prestar atención. Observar. También es una profesión, querido pariente.

—Sí, observar —repite él con aire distraído, como pensando en otra cosa—. Hay algo que no has mencionado, pues también te consta que te he pedido que te quedaras conmigo.

—Contigo —repite tranquila, mirándolo. Acaricia sus guantes—. ¿Hasta cuándo? ¿Hasta la mañana, cuando me confíes tu secreto? ¿O hasta más tarde, cuando me consigas visado y empleo, a mí, a la pariente pobre?

Lo ha preguntado tranquila, sin rastro de ironía. Juguetea con los guantes como quien sólo intercambia unas palabras de cortesía antes de marcharse.

—Aino Laine, pocas veces invito a alguien a mi vida —dice el hombre con calma—. Pero, en tal caso, lo hago como mandan los cánones. Y, naturalmente, la persona invitada siempre tiene la libertad de decidir hasta cuándo quedarse...

Ella se pone los largos guantes negros en la palma de la mano izquierda, y alisa las arrugas de la delicada piel, acariciando la suave materia con parsimonia. Ladea la cabeza y, mirando al opaco cono luminoso de la lámpara de mesa, dice:

—Ahora pareces hablar en serio. Porque antes, para que lo sepas, a veces me ha dado la impresión de que fantaseabas. Cuando han llamado por teléfono, ¿han dicho algo relativo a nosotros dos?

Aunque lo pregunta como si careciera de importancia, su voz trasluce curiosidad. Él se encoge de hombros, se da la vuelta y echa a andar por la habitación. Se detiene ante la estufa y acaricia las losas ya frías.

—Me han dicho algo que también nos concierne a los dos —admite, mirando la estufa, como si estuviera solo en la estancia—. Han dicho lo que uno sabe e ignora en el fondo del alma, algo que siempre espera, pero que jamás acaba de creer: que el destino, en ocasiones, vacila... No todo lo que consideramos destino resulta tan incondicional y, mucho menos, tan previsible. —Se vuelve hacia la joven y le pregunta—: ¿Quieres saberlo?... No me cuesta comprender tu curiosidad, querida invitada. Pues entonces, te lo diré. La guerra es una ley, eso ya lo hemos comentado. Y hoy he tenido buenas razones para pensar que esa ley terrible y universal se cumplirá sobre las personas que pertenecen a este país, a quienes quiero. Ya ves cómo se repiten las veladas y las leyes, con Ópera y hombres que una noche saben algo que los demás ignoran, tanto en Saint-Cloud como en una ciudad desconocida... Durante unas horas he tenido razones para creer que la mañana que seguiría a esta noche haría revivir una ley tan antigua como la humanidad. Y tal vez no me he sorprendido tanto como debería al ver que has vuelto precisamente hoy, esta noche, cuando también en nuestro mundo todo y todos se quedan solos y abandonados frente a su destino.

—Entiendo. Y acabas de saber, mediante la llamada telefónica, que el destino no es tan incondicional como imaginabas. Es eso, ¿no?...

—El destino a veces se muestra indeciso, y dentro de lo que forma el gran triángulo humano, el nacimiento, la muerte y el amor, deja la decisión en manos del hombre. Como, por ejemplo, esta noche. Acaso no sea una decisión definitiva... pero me siento aliviado, Aino Laine, porque ganar tiempo es ganar vida y posibilidades para mis seres queridos, para todos aquellos que guardan alguna relación conmigo. Y esta noche no veo ninguna araña excitada por las paredes... —añade, y sonríe con cansancio—. Al menos esta noche. Y quiero hacer cuanto esté a mi alcance para mantener alejadas de mi casa las fuerzas que aquella noche imposible de olvidar destruyeron la hermosa casa de Helsinki donde creciste. Es mi deber. Cada día, cada semana que robemos al destino será un enorme regalo, y más allá de redactar, que es mi profesión, o con ayuda de la redacción, deseo cumplir este otro deber: que las casas donde viven personas que comparten su destino con el mío puedan seguir en su sitio, con todo lo que contienen entre sus paredes. Naturalmente, no sabemos hasta cuándo lograremos aplazar nuestro sino —reconoce, pálido y serio. Se endereza y agrega—: Un hombre y un pueblo sólo pueden regatear con el destino en condiciones razonables... Con palabras y voluntad, con algún tipo de magia racional, únicamente es posible aplazar un poco las lóbregas fuerzas que desde hace tiempo (también esta noche) se dedican a arrancar de la faz de la tierra casas y campanarios en ciudades de nuestro continente. El destino acabará cumpliéndose, Única Ola, lo sabrán a una misma hora pueblos y personas... Pero no se ha cumplido esta noche, como temíamos unos pocos en esta ciudad, y tal vez tampoco llegue a cumplirse mañana ni dentro de medio año. Quizá... Pero el destino —prosigue, bajando la voz—, el sino de los pueblos en la guerra, y el del hombre en su nación, el tuyo y el mío, acabará cumpliéndose sin remedio. Aunque a veces se demore, vacile... Esto es lo que he sabido esta noche, hace un rato, cuando he hablado por teléfono. —Y, como la mujer no dice nada, continúa—: ¿Qué otra cosa puedo darte, Única Ola?... No me quedan más secretos, ha llegado el momento de poder entregarte, sin sentimiento de culpa, el humilde secreto que guardo en mi poder. ¿Con qué otra cosa puedo obsequiarte?... ¿Con una taza de café? Si no te impacientas y esperas hasta que encuentre entre mis tesoros terrenales la cafetera turca y los granos de café que me quedan...

La mujer permanece inmóvil, erguida, lista para partir. Como si estuviera en medio de un evento social, en el centro de la sala. Luego, de repente, asiente con la cabeza, se quita el abrigo de pieles y lo deja caer sobre la butaca.

—Tomaré una taza de café. —Se vuelve hacia la estantería y añade por encima del hombro—: Me entretendré hojeando tus libros. No hay prisa... —Coge un volumen, examina los caracteres dorados del título y dice—: Ahora dispongo de tiempo. Hasta por la mañana, si quieres.

· · ·

Así que un café. Va a la habitación contigua, cierra tras él la pesada puerta corredera, enciende la luz y se pone a rebuscar en un cajón del aparador, sintiéndose algo desorientado. El ama de llaves duerme en la parte posterior de la casa, en la habitación del fondo; ya es mayor, mejor no despertarla. Si viera a la invitada se pondría a chillar, como si hubiera visto a un fantasma en sueños... porque ella también quería a Ili. La quería celosamente, como si formara parte de la vida común de aquella casa. Y, cuando se suicidó, mantuvo sobre el hecho de su muerte un silencio y un pudor extraños, sin lamentos, preguntas ni explicaciones. Ili murió y su foto quedó sobre la mesa. Y ahora la joven está sola en la sala con la fotografía... ¿Qué sucederá cuando al cabo de su repaso a los libros se acerque al escritorio y la vea? Porque, más allá de la verdad de las palabras, hay una verdad simple, tangible y visible: la fotografía. Cuando empieza a echar granos de café en el molinillo de cobre comprado en Mostar, en un bazar, su mano se detiene en el aire. Aguza el oído. En la sala reina el silencio, no se oye nada en absoluto. ¿Qué estará haciendo la invitada? ¿Leyendo tal vez? ¿O mirando la foto? ¿Buscando su sitio en el piso, el sitio que le pertenece, o rastros e indicios que prueben que la magia de esa noche está vinculada a la realidad, a los objetos y los hechos? Porque sólo es efectiva la magia que tiene lazos con una realidad en la que se ensamblan elementos celestiales y cotidianos, piensa mientras sigue echando, distraído, uno a uno, los granos en el artefacto turco. El amor también camina

161

por el suelo, tiene pies y manos, lo maravilloso y lo mágico asimismo sufren catarros y problemas de dinero... De repente, siente el mismo frío estremecimiento que ya sintió en un par de ocasiones, hace tiempo, concretamente el día que conoció a Ili y también más tarde, cuando por la calle había comprado un periódico y leído el titular que informaba sobre «el suicidio de una señorita». Una especie de corriente eléctrica de alto voltaje, helada, atraviesa todo su ser, a lo largo de la columna, por los nervios, las piernas. El amor es así... ¿Acaso no lo recuerdas? Dentro y alrededor de ti reinaba ya la calma: habías superado la costumbre de consultar las manillas del reloj sin causa aparente, de alzar la cabeza al oír el teléfono, o volverla con inquietud si alguien giraba el picaporte, de remover con la mano el correo matutino, hurgando con curiosidad ciega y muy tenso para encontrar un sobre con los trazos de una caligrafía conocida... Todo eso ya había pasado. ¿Y ahora? ¿No te da miedo, no te avergüenza volver a acoger en tu vida esa inquietud turbia y humillante? Antes le has hablado de Platón, porque era el momento de hablar y porque lo extraordinario y lo maravilloso no pueden entenderse fuera de las palabras redactadas según determinado sistema... Pero Platón decía algo distinto sobre el amor. ¿Dónde y cuándo?... Sí, cuando Céfalo relata un encuentro con el locuaz Sófocles. «Hace ya tiempo que me libré del amor con la mayor satisfacción, como quien se libera de un amo feroz y brutal.» Pero esa locura cruel se halla ahora otra vez aquí, en mi vida. Ha regresado del más allá, superando todos los obstáculos vitales, renovada y banal, como un número de magia que acelera el corazón y cuyo truco prefiero no comprender... ¿Estoy dispuesto a volver a sufrir esa tensión, a vivir esa comedia sublime y humillante, mezquina y celestial, a volver a vivir el cuerpo y todo lo que el alma es capaz de transmitir al cuerpo en el amor... a volver a vivir el amor y la muerte? Porque, si se repite el decorado, sin duda también se repetirá, de una forma u otra, la trama. El programa no es tan variado como lo imaginamos en un principio, y la sorpresa del individuo siempre resulta ingenua, pues en la realidad no hay variantes sorprendentes, sólo hechos, y los hechos se repiten... Volver a soportar que tu cuerpo y tu alma pertenezcan a otra persona, es decir, pertenecer a alguien; volver a salir de la soledad con que la vida y el saber te habían arropado benévolamente los hombros, una especie de manto oscuro que te aparta del mundo pero que también te ampara, igual que el hábito cobija al fraile... Volver a «vivir en plenitud», pero en realidad hacerlo a medias, porque tienes que compartirlo todo con un tirano curioso y pueril, que ni siquiera tiene la culpa de ser «loco y cruel». ¿Quién es esta mujer, además de ser «ella», que ha vuelto? ¿Quién es este «matiz»?... Por la mañana entró en mi despacho una maestra escandinava, una becada; pero ha ido cambiando a lo largo de la tarde y la noche. ¿Qué sucedió en Saint-Cloud? ¿Quién pagó ese traje de seda malditamente bien cortado y el abrigo de pieles blanco, el mechero y la pitillera dorados? Habla demasiados idiomas y los habla demasiado bien. Ha visto demasiadas cosas. Sabe unas cuantas cosas que revela sin darse cuenta... Aún es joven y está orgullosa de saber algo y tener fuerza. La

163

rodea un halo enigmático y su secreto no es sólo aquella noche de Saint-Cloud... Pero ¿qué te importa? ¿Por qué te pones a regatear? ¿Por qué destrozas el precioso regalo que te envolvió en papel de seda una mano divina en el más allá? Alégrate, disfrútala con todos los sentidos, ahora, en el instante en que la juventud está abandonándote, en que Dios se inclina sobre tu hombro y el amor y la muerte llegan a tu vida. ¿Es posible que sea la voluntad divina y que esa voluntad se muestre completamente indiferente?... Es posible que todo sea grandioso en el más allá, en el gran almacén de utilería donde visten y maquillan a los personajes para que interpreten su papel en la tierra... A veces envían de vuelta a un protagonista, con algún que otro cambio en el vestuario, y lo colocan de nuevo en el enredo anterior, en la misma escena. Así que está otra vez aquí... ¿Qué te importa si ha traído algo más que el mechero inglés y la pitillera dorada, otro tipo de intención o voluntad, en su bolso negro de abalorios? ¿Qué importa? Hace unas horas todavía creías que la fuerza llamada destino, una de cuyas variantes disfrazadas es la guerra, también había extendido sus garras hacia este país... Ahora sabes que esas garras aún vacilan. Pero ¿seguirán indecisas mañana o dentro de medio año? ¿Queda todavía algo previsible en la existencia, no sólo en tu preciosa vida, sino también en la de todas las personas que pueblan el planeta? Las bombas caen sobre indígenas desprevenidos, en la jungla, entre árboles del pan, en lugares del globo donde el hombre blanco aún no ha puesto el pie; un día de pronto arde la maleza africana o asiática porque un avión despistado ha dejado caer un producto inflamable, o los orangutanes chillan porque la metralla hiere sus cuerpos en la selva africana, y todo ser vivo llora y gime porque el destino avanza con indiferencia a través de países, ciudades, selvas, estepas y continentes; y en vano buscan refugio en el fondo de los mares, donde peces prehistóricos observan atónitos el triste caos de personas y objetos sumergidos en las profundidades; los quebrantahuesos vuelan chillando a gran altura para esquivar el rugido de los aviones... Se han desatado todas las fuerzas, en la tierra, los mares y los cielos. Y a ti, entretanto, te llega el amor, una vez más... ¿Qué te importa el precio? A pesar de que te preocupa, seguramente no sea algo tan fuera de lo común como crees. Tú, tú y no otro, eres aquel a quien ha tocado la magia de la ilusión. Millones y millones de personas han vivido ya un reencuentro, una repetición. Acéptalo con humildad. Vuelve a la habitación, prepárale un café turco y luego asúmelo todo sin preguntas. No puedes hacer otra cosa, y quién sabe para qué servirán mañana o dentro de medio año las preguntas que formules ahora para calibrar el objetivo y la importancia de este milagro... En la vida de cada persona hay un momento cuya profunda relevancia sólo pasa inadvertida a los sordos y los cobardes. Éste es uno de esos momentos...

Pero ¿qué es eso? ¿Hay alguien en la sala?

Deja el molinillo cobrizo sobre el aparador, se endereza y aguza el oído. Alguien está hablando en la habitación contigua. Oye una voz apagada que no conoce; por la gruesa puerta se filtran palabras ininteligibles. Se acerca de puntillas y entonces reconoce la voz: es ella, hablando por teléfono en tono muy bajo, casi en susurros. Si pegara el oído a la puerta, tal vez lograría descifrar el murmullo. Se apoya en la madera con una mano y permanece en esa posición. En realidad no debería espiar la conversación de mi huésped, piensa. Pero es incapaz de apartarse porque, pese a la distancia y la puerta que los separa y aísla, oye y percibe que ella está actuando precipitadamente, llevando a cabo algo prohibido. En plena noche y con el teléfono de un piso ajeno, la joven está hablando en un idioma extranjero con un desconocido; habla en susurros, con agitación, evidentemente se trata de algo importante y apremiante para la hablante, que se ha quedado sola en la sala de un piso extraño. Se ha quedado sola, se ha acercado subrepticiamente al aparato y ha marcado a toda prisa un número; al otro lado de la línea tal vez ya esperaban su llamada. Y ahora están hablando. Es más de la una. ¿Qué estará diciendo? No puede existir información personal tan importante como para que, por la noche y en un piso extraño, una mujer descuelgue a escondidas el auricular del teléfono. Lo que tenga que decir ha de ser de lo más urgente, imperioso... Pero ¿qué puede ser tan imperiosamente urgente? ¿Y a quién le resultará tan importante e inaplazable para que ella tenga que comunicárselo sin poder esperar hasta la mañana?... Se endereza y permanece de brazos cruzados escuchando ante la puerta, pero no con los oídos, sino con el cuerpo entero, como si todo su ser se hubiera convertido en una membrana auditiva; escucha con la piel, poniendo suma atención. De repente la voz calla, pero enseguida se oye de nuevo, pronunciando con precipitación. ¿En qué lengua habla? ¿Alemán?... No, imposible, la entonación no es alemana. ¿Inglés?, continúa preguntándose maquinalmente, mientras vuelve a experimentar aquel frío estremecimiento. No, el inglés tiene una cadencia más marcada; si ella susurrara en inglés, lo reconocería incluso a pesar de que medie la puerta. Tampoco habla húngaro, seguro que no. ¿Finés?... Tal vez, pero ese idioma parece tener otro acento, el finés que ha oído no le sonaba como esto... es más suave, más delicado, más eslavo. ¿Estará hablando ruso? ¡Imposible! ¿Con quién iba a hablar en ruso, con tanta urgencia, a través del aparato de un desconocido, en un país extranjero donde se controlan las llamadas? ¡Qué idea más absurda! Lo único seguro es que está hablando en una lengua extranjera, en plena noche, desde mi casa, después de enterarse de que esta noche no se produciría lo que se temía... ¿Estoy seguro? ¿Seguro que no habla ruso? Y ahora, de pronto, siente como si un ruido inesperado, fuerte y cruel lo despertara de un sueño turbio y profundo. Uno siente esta sobriedad fría y amenazante al despertar, cuando una voz imperiosa o un estruendo, la maliciosa broma o la voluntad cruel de una persona, lo obliga a emerger a la superficie, a la gélida realidad desde las profundidades del sueño. Ahora se siente tan sobrio como si hace un rato hubiera estado ebrio. Igual que si despertara de un sopor nauseabundo. ¿En qué lengua sigue hablando su invitada? Aguza el oído de nuevo. La voz se interrumpe. Esas consonantes suaves y seguidas le recuerdan a una lengua eslava... pero no logra reconocer una sola palabra. No estudié lenguas eslavas, piensa con remordimiento, como un alumno distraído al que llaman la atención. Ni siquiera estoy seguro de que se trate de una lengua eslava... pero entonces, ¿qué idioma es ése? Se aproxima más a la puerta, todo lo posible, casi pegando el cuerpo al grueso tablero de roble. Escucha. Ahora reina el silencio. Luego, un chasquido apenas audible: al otro lado, la mano acaba de colgar.

Aprieta la frente ardiente contra la puerta barnizada. Se apoya en el tablero, como buscando ayuda. Hay que ver, piensa. Pero ¿acaso no has sentido algo parecido a lo que sientes ahora todo el rato, mientras estabais en el palco de la Ópera y después en el restaurante, y cuando la has invitado a tu sala, a la butaca donde solía sentarse Ili?, se reprocha a continuación. ¿No habías notado que hablaba otra lengua, aunque, más que por las palabras que pronunciaba, por sus ojos, por la mirada? ¿No sentías que era una desconocida quien te observaba? Que observaba meticulosamente y se enorgullecía de ello... Y en este mundo, donde ya no son oídos humanos, sino eléctricos los que captan cada sonido que pueda suponer peligro, donde individuos y pueblos espían las palabras y los gestos de los demás, ¿por qué no iba a observar ella, la bella y solitaria errante que ha venido hasta ti desde Saint-Cloud, desde ese bosque, para observarte?...

Esboza una sonrisa, negando con la cabeza, como ahuyentando una idea descabellada, pero otra vez se dice: Hay que ver... Aunque no concluye el pensamiento que provoca esa retorcida sospecha. Es una sospecha ridícula. Habla demasiado bien las lenguas, cierto, incluido el húngaro, también de maravilla... ¿Puede un finlandés aprender el húngaro así de bien?

Bueno, hay gente con especial talento para los idiomas, y de todas formas su acento sigue sonando extranjero, aunque su vocabulario sea rico y preciso. Su invitada y pariente es una mujer de talento, reconoce encogiéndose de hombros. Ahora debo entrar y preguntarle en qué lengua y con quién ha hablado tan urgentemente por el teléfono de mi casa a estas horas de la noche... Qué pregunta más incómoda. ¿Y luego qué pasará? Algo contestará, sin duda, y tal vez me cuente la verdad. Pero quizá me mienta. Tal vez sea la guerra personificada, porque la guerra adopta un sinfín de disfraces, en ocasiones se presenta con un vestido de seda igual que el suyo, con pieles blancas sobre los hombros, un mechero de oro en la mano y hablando un húngaro impecable. Hay que ver, se dice de nuevo, mas inmediatamente piensa: Pero yo mantengo una relación con ella. Aunque la hayan enviado con un propósito secreto, aunque esté interpretando un papel, aunque mañana me vea obligado a entregarla a la policía, aunque tenga que agarrar con mis propias manos ese cuello blanco que tan familiar me resulta y ahogar las palabras que sobran... Pero ya no puede seguir pensando, está extenuado. La extraña anemia cerebral que desconecta la razón antes de que uno se sumerja en el sueño o se desmaye borra los conceptos de su mente. Se apoya contra la pared; tras un instante se recobra, profundamente avergonzado. El sentimiento de vergüenza es tan crudo como si lo hubieran golpeado. Apaga la luz, se acerca a la ventana y abre una hoja. La fría brisa nocturna penetra en la habitación y le roza la frente ardiente, le acaricia el rostro febril. El viento invernal se eleva desde el río,

169

donde en la oscuridad, sobre los islotes de hielo, descansan, ateridas de frío, las aves migratorias llegadas desde su lejano e inclemente hogar en busca de alimento...

Acabemos con esto, resuelve. Si no me comenta ella misma que ha utilizado el teléfono, la echo de aquí y mañana ordeno que la vigilen, piensa mientras cierra la ventana. Se encamina a la sala.

La joven está de pie ante el escritorio, con la foto de Ili en la mano. Su suave rostro se ve serio y pálido. Acerca la imagen a la lámpara de la mesa y la examina con ojos entornados, orgullosos y heridos. Cuando ve a su anfitrión parece no inmutarse: se limita a mirarlo con gesto interrogante, sin soltar la fotografía.

Él se le aproxima, también en silencio.

—¿Tienes alguna otra foto de este rostro? —pregunta ella con aparente tranquilidad.

—Es la única que queda. Rompí las demás... en un momento de flaqueza.

—Mal hecho —le recrimina en tono neutro.

—Sí, fue un error. O al menos una debilidad. Pero las fotografías carecen de importancia.

—¿Eso crees? —Con gesto delicado, vuelve a colocar el retrato en su sitio, al lado de la lámpara, en una esquina del escritorio, y la observa ladeando la cabeza, como si se tratara de una obra de arte—. Pues te equivocas. La realidad siempre dice más de sí misma de lo que somos capaces de expresar con palabras sobre ella. Una imagen, una caligrafía... es algo muy importante. Por ejemplo, esta foto. Ahora lo entiendo.

—¿Lo entiendes? —pregunta él. Ambos están cruzados de brazos ante la fotografía y la lámpara—.

Todo lo que te he contado sobre la similitud y la diferencia... ¿todo eso te parecía irreal hasta que has visto esta foto?

—¿Irreal? Más bien algo deformemente conocido... como, por ejemplo, cuando se distorsiona la realidad en los sueños. No, no me refiero a eso cuando digo que lo entiendo. Pienso que ya había visto en una ocasión esta misma foto. No una imagen de un rostro similar, no... sino exactamente ésta. Y no me equivoco. Es cierto que sólo la vi de paso, un segundo apenas... La cogí, pero al punto me la arrebataron y sin más la metieron en un cajón. Y luego cambiaron de tema.

—¿Cambiaron de tema? ¿Para hablar de qué?

—De ti —responde ella con sencillez. Rodea el escritorio y avanzando insegura, como si se tambaleara, se acerca a la butaca—. De ti, en concreto. Pronunciaron tu nombre. Alguien me sugirió que acudiera a ti, que seguro que me ayudarías. Lo afirmó con rotundidad: seguro, completamente seguro... Dijo que no te quedaría otro remedio, que tendrías que ayudarme. Pero no mencionó la foto. Cuando vi la suya, no dejó que la observara con detenimiento y la metió con brusquedad en el cajón del escritorio. Luego fue cuando me dijo que viniera a verte. Y se echó a reír con una risa muy extraña. —Se alza un poco el abrigo de pieles, colocándoselo sobre el hombro, pues siente frío—. Como si se tratara de un loco o un... no sé, no sabría definirlo.

—Vamos —insiste él—. Inténtalo. Como un loco o un... ¿a qué te refieres? ¿Como un asesino? ¿Eso pensaste?

—¿Un asesino?... —No la asusta el término, se limita a ladear la cabeza, pensativa—. No creo que sea un asesino en el sentido literal de la palabra... —decide con cierta vacilación—. También es verdad que uno puede matar de muy distintas formas... últimamente hemos aprendido mucho sobre ello. ¿Tú no? Yo sí, en mis viajes por el mundo. Se ha convertido en una ocupación de primera importancia, y a la hora de inventar formas de destrucción, el ser humano se muestra sumamente ingenioso... Sin embargo, no creo que él haya matado a nadie —afirma más resuelta—. Pero puede que tengas razón, se rió de una manera rara, era una risa casi inhumana, como la de los locos que están al tanto de algo terrible, o las fieras que poseen un cuerpo de hombre, esas a las que teme la gente en España y en mi país, en el norte... como los *werwolf,* los licántropos. Era la risa de una fiera, de un lobo aullando y riendo a la vez. Al arrebatarme la fotografía de la mano, casi me golpeó.

—¿Dónde sucedió? ¿En su piso?

—No. ¿Cómo se te ocurre?... En su despacho.

—¿En la universidad, en su laboratorio? —inquiere él; es una pregunta objetiva, sencilla, propia ya del funcionario que interroga a alguien acerca de cuestiones delicadas.

—Sí, en la universidad... Pero no fue en el laboratorio, sino en un despacho pequeño y desordenado, donde se entremezclaban olores insoportables, acres y ácidos, de productos químicos pestilentes... Y sobre la mesa donde estaba la foto reinaba un absoluto desorden.

—Así que fue allí... Ya ves, Aino Laine, qué bien se complementan las cosas. Así, todo nos resultará más sencillo, a los dos. Ahora dime quién te envió y cómo encontraste a ese hombre.

—¿A ese hombre?... Es una historia muy simple. No tiene nada de misterioso... mejor dicho, no tenía nada de misterioso hasta hace unos minutos, cuando he visto la foto... Me puse en contacto con él un profesor mío que era químico en la Universidad de Helsinki, un conocido de mi padre. Cuando estaba en París y decidí venir a Hungría, a este país hermanado con el mío, le escribí para pedirle una recomendación. Eso es todo. Por él me enteré de que era un hombre muy conocido en su profesión y que a lo mejor podría ayudarme.

—Sí —confirma él—. Es una autoridad en su profesión. ¿Y te ayudó?... —añade enérgico, inquisitivo.

La joven lo mira inclinando la cabeza y, por primera vez, contesta insegura, en un tono asustado y vacilante:

—Al menos me aconsejó que viniera a verte. Y ahora descubriré si mandándome aquí me ayudó o no... ¿no es así, querido pariente? —Aunque se ha esforzado en plantear la pregunta de manera despreocupada e irónica, parece una adolescente recién desenmascarada y lista para huir corriendo.

—A ese hombre... —prosigue él despacio, como si tuviera que vencer una dolorosa resistencia— ¿llegaste a conocerlo bastante? ¿Qué opinas? ¿Qué clase de persona es? ¿Es lo bastante fuerte o corrupto para matar a alguien?

Los dos se quedan contemplando la foto, expectantes.

—Ese hombre —responde ella, alzando lentamente la cabeza para mirar al techo— es de las pocas personas capaces de todo. No solamente tiene dotes y voluntad, sino también capacidad para llevar a cabo cualquier cosa. Las personas como él, dotadas de una voluntad exacerbada, son capaces de descifrar un secreto que en vano han tratado de desentrañar hasta entonces generaciones enteras. Cuando están sentados en su despacho, solucionan problemas que los demás jamás logran resolver. Si salen al mundo exterior, centran su voluntad en la gente y, allá por donde pasan, generan destrucción y sufrimiento... Si aman a alguien, esa persona muere. Hay gente así.

—¿Y estás convencida de que se trata de una de esas personas?

—Sí, sin duda alguna —asegura la joven—. Me asusté al verlo. Creo que él también se asustó un poco... pero no como tú, este mediodía. Se asustó como si hubiera reconocido de repente que existen fuerzas superiores a la suya y que a lo mejor nunca llega a dominarlas... Ahora lo entiendo —señala aliviada—. Antes, al ver la foto, lo he comprendido. Pero él trató de disimular su miedo. Sólo rió, con aquella risa demencial y escalofriante... Me arrebató la foto y me dijo que viniera a verte.

—¿La fotografía estaba sobre su escritorio?

—Sí... ¿Tiene eso alguna importancia? —inquiere ella, sorprendida.

—Acabas de decir que la realidad es importante.

—Estaba en una esquina del escritorio, igual que aquí... ¿Puedo preguntar quién es esa mujer?

—Puedes preguntarlo —replica él, tranquilo—, y yo puedo contestarte. Pero, Única Ola, ¿de qué te servirían los nombres y datos de un fichero policial? La realidad, ya ves, es más simple que la que nosotros, las personas, creamos a partir de ella en nuestra alma... ¿Qué deseas saber? ¿Nombre, edad, datos personales? De todo eso puedes enterarte en el cementerio, leyendo la lápida o preguntando en la oficina donde reciben y registran los cadáveres, indagando en sus anotaciones... Pero eso ya no importa. Lo que aún tenía o tiene importancia para el hombre que al verte rió como un lobo y para mí, que esta noche te he invitado a mi casa y que hace un rato me he ofrecido a prepararte un café, de lo cual me he olvidado... Discúlpame...

—No pasa nada, continúa, por favor. Es tarde. ¿Qué sentido tiene para el hombre de risa lobuna y para nosotros, que estamos mirando la foto a estas horas de la noche?

—Pues que todo eso es algo más que la realidad —explica, más animado—. Parece cierto que la vida es algo más que la muerte. Y que la miseria, la pasión, el malentendido y la desgracia con que vivimos nuestra existencia no constituyen la verdadera razón y contenido de la misma. Existe algo más, Única Ola, un sentido que va más allá de la ilusión, más allá de ti y de mí... ¿Deseas saber alguna cosa más?

La joven reflexiona. Con la mirada en la alfombra, juguetea con sus guantes.

—No —responde al fin—. ¿Y tú?... ¿Qué pasa y qué pasará contigo, querido pariente y conocido? No te molesta que te llame así, ¿verdad? Porque has

175

de saber que también pienso que ésta es una noche excepcional, una de las pocas veladas en que las personas se conocen y a través del otro descubren parte de la trama en que interpretan su papel. Te siento cercano, como un familiar. Ahora, si quieres saber algo de mí, puedes preguntarme... —ofrece magnánima, como si se tratara de un regalo.

Alza la vista y por primera vez lo observa de hito en hito, sincera, cálida y amistosa.

—No, no me molesta que me llames así —dice él bajando la voz, sereno—, nada de eso. Gracias por haberme entendido y por tener la paciencia de entenderme. ¿Qué podría preguntarte ahora que eres tan generosa por primera vez en el transcurso de la noche...? Siento en tu mirada y tu voz que de veras lo eres, Única Ola, que deseas entregarme algo. Es un gesto hermoso y humano, magnánimo, sobre todo después de que yo me haya mostrado distraído y desatento, y por el enfado y la sorpresa me haya olvidado de preparar el café fuerte y aromático que deseaba ofrecerte a horas tan avanzadas... ¿Qué podría preguntarte? Quizá qué opinas sobre una especie de circuito eléctrico que vincula a tres personas vivas y a una difunta en una trama conjunta difícil de comprender y que se cierra con semejante precisión... También podría preguntarte si no es extraño que un desconocido de Helsinki sepa de un químico que vive en un país lejano, que destaca en su profesión y que tal vez pueda ayudarte si decides realizar una visita a un país emparentado con el tuyo. Y, en efecto, te ayuda, pero antes ríe como un lobo y te arrebata una foto que conserva en una esquina de su escritorio... Y luego te aconseja que vengas a verme, a la gran ciudad, a mí, a la persona que tiene en su sala el original de dicha fotografía en la misma esquina de su propio escritorio... Y ambos hombres, ya ves, jamás se han hablado en la vida. Sí, uno de los dos no sabía que el otro tenía esta foto... Y tú te pones en camino por un mundo donde de noche ya no hay alumbrado, y con el instinto infalible de las aves migratorias llegas a una ciudad desconocida donde dos hombres no pueden evitar fijarse en ti, porque tienen la impresión de que están gastándoles una broma o son víctimas de una ilusión. En el primer instante, sienten como si la naturaleza se dedicara a repetir sus obras e ideas con trucos de feria... Eso sienten. Uno de ellos ríe y el otro se asombra. Pero ahora todo está en su sitio, aunque de manera algo retorcida e inverosímil, no como en la vida, más bien como en las novelas... Claro, no me refiero a las novelas buenas, donde cada acontecimiento sucede una sola vez y en determinado orden, sino a las leyendas, a las narraciones populares, donde los protagonistas vuelan por las nubes y a las brujas les crece la nariz, o sea, donde pueden ocurrir cosas imposibles o inverosímiles. Como comprobarás, yo no poseo obras de esa clase en mi biblioteca... los libros serios se sentirían ofendidos si colocara junto a ellos uno que relatara una historia tan absurda y retorcida como la nuestra, la de nosotros dos o nosotros cuatro... Pues así fue. Y esta historia es sólo nuestra, ¿verdad?... Ya resulta bastante milagroso lo irregular y antiliteraria que es la vida. ¿O acaso es la literatura contraria a la vida? Me refiero a la literatura, es decir, a la redacción y a la razón, que teme a las opciones de la vida que son retorcidas e irregulares y se integran en un orden y sistema situado más allá de toda voluntad e imaginación humanas, como por ejemplo nosotros cuatro, la difunta, tú, el hombre del despacho maloliente y yo, que ya no cuento mucho en esta historia... Disculpa, pero tengo esa sensación. Y podría preguntar si no sientes una especie de conmoción y humildad ante situaciones y encuentros que se desarrollan así, por encima de cualquier plan ingeniosamente urdido y de toda voluntad humana... Porque sospecho que se trata de algo similar. Esta noche ha sucedido algo, Única Ola, no sólo entre los pueblos y los países, sino también entre nosotros... Parece que detrás de las batallas y los armisticios exista asimismo otra historia mundial, por ejemplo, la tuya y la mía. A ver, podría preguntarte cuál te parece más importante: ¿la macrohistoria o nuestra microhistoria?, ¿qué guarda mayor relación contigo, el mundo ancho y ajeno o nuestro asunto?, ¿cuál de estas dos tramas se te antoja más importante?... Y, ya insistiendo, también podría preguntar si en todo esto existe algún vínculo entre la macro y la microhistoria, entre los asuntos del mundo y los pueblos y nuestro asunto personal...

—¿Por qué lo dices? —replica ella con sosegada ternura—. Has de saber que esta noche nuestro asunto se ha separado de los asuntos del mundo. Y justo eso es lo que lo hace tan maravilloso... Porque ahora yo también siento el milagro de esta noche, querido pariente.

—Se ha separado, sí —conviene él—. Nos ha sucedido algo, algo que raras veces ocurre en la vida...

Por lo general las cosas, y toda la existencia en sí, simplemente llegan y se alejan. Pero esta noche a nosotros nos ha pasado algo... Nos encontramos, justo tú y yo, y si hubiéramos vivido en el norte o en tiempos de las migraciones de los pueblos tal vez nos habríamos postrado en actitud reverencial ante un encuentro tan fulminante, como hicieron nuestros antepasados al conocer el fuego, el destino humano, las posibilidades y la interrelación entre las cosas. De modo que, como puede verse, ya no nos postramos ante los milagros... aunque ello no cambia la esencia y la naturaleza de lo milagroso. No nos detenemos en seco al asistir a un milagro, sino que lo analizamos con atención, con los instrumentos de la razón. Porque, con el paso del tiempo, hemos descubierto en el milagro lo útil y lo banal, y sabemos que el fulgor posee una finalidad práctica; por ejemplo, puede ponerse al servicio del hombre, utilizarse para iluminar o transmitir la voz humana por el hilo del teléfono. —Y cuando la mujer se queda mirándolo, añade con una sonrisa—: Todo esto es maravilloso, y también peligroso y cotidiano, como cualquier cosa que el hombre toque. Prometeo robó el fuego de los dioses, fue una gran proeza, pero luego el fuego se convirtió en acciones de Bolsa y armamento. Podría preguntarte, esta noche que ya está a punto de terminar (porque lamentablemente los milagros de dimensiones humanas también tienen principio y fin), qué opinas sobre todo ello, sobre los asuntos del mundo y nuestra relación, y qué puedes decirme al respecto, a mí y a otros, cara a cara o por teléfono... Y tal vez, si te preguntara todas estas cosas, me contestarías. ¿Qué opinas, Única Ola?

—Creo que después de cuanto nos ha sucedido, se trata de una pregunta superflua e insignificante. —Se acerca al hombre, coloca suavemente las manos enguantadas en sus hombros y acerca su rostro al de él. Entre susurros, con su aliento cálido, añade—: Si me preguntaras, ¿qué podría decirte, pariente y conocido? Cuando hace un momento estaba hablando por teléfono, de pronto he reparado en la fotografía sobre el escritorio... Y perdóname, pero soy mujer y como tal necesito hechos para comprender y creer en los milagros. Estaba hablando por teléfono, porque Prometeo robó el fuego a los dioses y después la relación entre el fuego y el hombre se transformó en acciones de Bolsa y producción de armamento... y en guerras que arden y llamean a través de los tiempos desde que existe la humanidad. Y ahora podrías preguntarme una cosa u otra, podrías preguntármelo en distintos tonos... amigable y cortésmente, como acabas de hacerlo, o de una forma más directa, cruda y oficial. Tienes derecho a ello —afirma, y se encoge de hombros—. Esta noche también me has regalado un secreto valioso... Y ahora estaría sobradamente justificado que me preguntaras qué ha dicho hace un rato en una lengua desconocida usando tu teléfono, en esta acogedora casa, y si no me parece que he abusado de la hospitalidad y confianza del anfitrión... Sería una pregunta muy razonable. Porque en el mundo, en nuestra época, suceden cosas incluso durante altas horas de la noche, y las palabras son valiosas y tienen tanto poder como las bombas. Y después de todo lo ocurrido, seguro que ya no te parezco una persona de confianza... Una mujer extranjera, abierta a los cam-

180

bios, que domina varios idiomas, adopta una figura distinta cada noche, llega de algún lugar de este mundo o incluso del más allá y conoce a un hombre, o a más de uno, que guarda un secreto... Todo ello despierta sospechas. El teléfono es tuyo, querido pariente... puedes disponer de él, incluso ahora mismo, esta misma noche. Pero todo eso carece ya de valor, ya es tarde —concluye sin darle importancia, como en un suspiro.

—¿Es tarde? —inquiere él, sintiendo en la cara el cálido aliento de la joven—. ¿Por qué es tarde? Con independencia de que ésta sea nuestra despedida o nuestra primera noche, Única Ola, me gustaría que me dijeras la verdad.

—Ahora me resulta fácil contarla —asegura ella con ternura y sonriendo—. Porque acabo de ver la foto, como sabes. Y he comprendido que lo maravilloso puede materializarse en la tierra, cosa que no creía, como tampoco creía tus palabras, no olvides que soy mujer. Pero ahora me muestro humilde, porque he entendido que lo que creo, aquello por lo que me esfuerzo y lo que planifico, todo eso está decidido de antemano y desde hace mucho, y tú y yo y esa tercera persona no somos más que componentes de una especie de plan o mecanismo creado a través de nosotros, independientemente de nuestra voluntad e intenciones. Quieres saber la verdad... quieres saber quién soy yo y qué planes y deberes tengo en este mundo, por qué viajo a través de países en guerra, cómo logro abrir puertas que están cerradas, por qué hablo tantos idiomas y además con buen acento, qué quiero de ti y qué valor tiene para mí lo que pueda sonsacarte. Todo

181

eso es lo que deseas saber. Sin embargo, nada de eso tiene ya mucha importancia, querido pariente... me refiero a que ya no es muy importante para nosotros, tú y yo. Pero si el asunto revistiera para ti una gran importancia, sólo tienes que descolgar el teléfono, ya que dispones de eficaces poderes terrenales. No obstante, ese gesto (permíteme que te lo advierta por amistad) ya no te servirá, y tampoco a nosotros. Porque ahora ya sé que lo que defines como nuestro asunto no es fruto de un estado febril o una ilusión, sino que es la pura realidad. Lo sé desde hace unos minutos... Como te he dicho, ha hecho falta que viera la fotografía, soy así de desconfiada. Ahora ya lo sé. Y ahora ya puedes preguntar o actuar según te plazca. Hoy en día resulta muy fácil preguntar e interrogar... hay muchas formas de hacerlo. Y en el mundo, hoy en día la gente resulta realmente sospechosa... No puedo defenderme de esa mirada con que me observas, ahora que, tras oírme hablar en una lengua desconocida con alguien, en una ciudad que no es la mía y en plena noche, has vuelto a esta habitación. El mundo es sospechoso, en él se enfrentan fuerzas tremendas, y no sólo en los campos de batalla... Da la impresión de que las personas ya no se pertenecieran a sí mismas, sino que todas se dedicaran a servir una causa y vistieran una especie de uniforme invisible tanto de día como de noche, como si formaran parte de una sociedad secreta o un partido, como si portaran insignias extrañas y se movieran entre pueblos y países, amigos y clases sociales, familiares y amantes, cumpliendo una misión secreta... ¿Acaso es eso lo que piensas? Pues creo que tienes razón. Y la verdad es que podrás sacar la conclusión que desees, pues no voy a contestar a tu pregunta... a esa pregunta que me has formulado con mucho tacto pero de forma inequívoca, a la pregunta sobre quién soy en realidad, a qué pertenezco y con quién y de qué he hablado hace un momento por teléfono, en voz muy baja (pero, por desgracia, no lo suficiente, lo que demuestra mi inexperiencia), mientras tú estabas en la habitación contigua... Ya ves, soy así de inexperta e inepta. Pero no voy a responderte. Porque todo esto puede tener importancia para una oficina o para un Estado o para una sociedad secreta... pero a nosotros ya no nos importa. Entonces, ¿te gustaría saber quién soy y a qué pertenezco? Desde hace unos minutos te pertenezco también a ti. Ahora lo sé. Y es algo que también tú debes saber. —Su rostro reluce muy cerca de él, que siente su cálido aliento en la frente. Y con ojos brillantes, continúa—: Y pertenecer a una persona es mucho. Más que todo lo que podamos preguntar y averiguar el uno del otro... Es mucho, incluso aunque por separado e individualmente no seamos importantes y entre los dos sólo constituyamos una pareja y no nos diferenciemos de las otras. Se da con mucha menor frecuencia de lo que cree la gente. Además, me sorprende y entristece, porque, ahora que ya estoy enlazada a ti, debo dejarte. Debo hacerlo; por favor, préstame atención y comprende lo que te digo. He de irme, por ti, por nosotros, porque ahora también te pertenezco... He comprendido que este teatro nocturno fantasmal, con cuerpo y encuentros, es una realidad tan seria como esa otra obra, no menos seria y fantasmal, que se interpreta con personas, pueblos, fronteras, campos de batalla y ejércitos ataviados con distintos uniformes. Hace una hora pensaba quedarme cerca de ti. Pero al saber que estoy atada a ti, que tengo una relación contigo, tanto en cuerpo como en destino e instinto, para no lastimarte debo irme.

—¿De quién o de qué quieres protegerme, Única Ola?

Ambos permanecen inmóviles, entre sus ojos apenas hay distancia, de manera que en ese momento lo único que ven es su propio reflejo en la pupila del otro.

—Por descontado, quiero protegerte de mí misma y de las consecuencias que acarree esta situación cuando llegue la mañana y un día, no solamente tú, sino también otros se vean forzados a interesarme por mí. No es seguro que vaya a pasar, pero tampoco puede descartarse. Y uno con gusto ofrece un regalo si por fin llega a pertenecer a alguien en el mundo. Mi regalo consiste en dejarte. Es un gran regalo, que te entrego con todo mi cariño. —Se abraza al cuello de él, fuerte y delicadamente, y por un instante mantiene apretada su mejilla contra la del hombre—. Ahora no digas nada. Guarda silencio, mi querido pariente, y aparta la herramienta de la razón, tu arma más preciada... Por un segundo no exijas nada. Como hemos comporbado, el encuentro se ha producido de todas formas, y para mí es un milagro todavía mayor que lo que pueda ser para ti... Si existe una ley entre los dos, esa ley seguirá vigente en el futuro. Ahora deja que me vaya...

—Pero está oscuro y es de noche. ¿Adónde irías? ¿De vuelta a la oscuridad? O al mundo, donde arden ciudades y donde te espera un deber... bueno o malo, no puedo saberlo, ¿verdad? ¿Qué pasaría si te quedaras aquí? Has visto y palpado lo que no querías creer: has comprobado que existen los milagros...

—Milagros, sí —susurra la joven, estrechando el abrazo—. Tal vez, querido pariente, tal vez existan grandes milagros más allá de los pequeños. Tal vez un día se extinga en el mundo la llama de la maldad y la ira, y el milagro que me ha tocado vivir y que me obliga a dejarte, obsequiándote de esta manera, también se manifieste de una forma más general y sublime... ¿Sabes a qué me refiero? Tal vez un día, fuera, en el mundo ahora oscuro y lleno de peligros, la gente busque no sólo la destrucción y la separación, sino también dar y unir...

—¿Crees que entonces nos encontraremos y volverás a mí?

—No puedo saberlo —responde la joven con seriedad—. ¿Cuál es mi deber en el mundo? ¿Vivir por ti o por quienes persiguen ese otro milagro? —Deja caer los brazos con naturalidad y se encamina hacia la puerta; entonces añade—: Nos hemos encontrado y nos hemos despedido. Ábreme la puerta y permite que me vaya.

—Te acompaño.

—Sabes perfectamente que la mayor, la única cortesía es no acompañarme —asegura ella desde el umbral—. Insisto —dice, alzando la voz—, permite que me vaya. Lo digo por ti y por mí.

Y se marcha.

· · ·

Apaga la lámpara y abre la ventana. La calle se halla sumida en la oscuridad. Está nevando. Abajo, allá al fondo, la figura blanca y esbelta avanza rápida entre los copos de nieve. La ve por un instante más cerca de la esquina, en el tenue cono de luz de la farola, a través del velo mágico y reluciente de la nevada. Se dirige a paso enérgico hacia el río. Camina por el manto nevado con ligereza y familiaridad, como en un elemento conocido. Entonces dobla la esquina y desaparece.

Él permanece junto a la ventana abierta viendo nevar. Sobre la ciudad dormida parece posarse el manto del silencio, un silencio denso y blando, un silencio de otro mundo, celestial, un vacío pesado y blanco. Respira hondo, inhalando el aire húmedo y punzante de la noche invernal, saboreando su olor acre, escuchando el silencio.

Vamos, vete, piensa. ¡Con qué ligereza caminas! Echa a andar por calles oscuras, por países y voluntades humanas aún más oscuras. Avanza flotando como las gaviotas que sobrevuelan ciudades en llamas e impenetrables parajes humanos, con giros ágiles y la brújula del instinto en el corazón. Ya ves, a pesar de todo, has llegado a mí. ¿Adónde te diriges? ¿Qué y a quién buscas? Algún día me responderás. Porque existen los milagros, ahora ya lo sabes, y un día las personas acabarán encontrándose. Las personas, tú y yo, y tal vez también las masas indiferenciadas que se denominan pueblos y buscan a los demás y su lugar en el mundo, por encima de la ira y la pasión... Eso ocurre tanto hoy como en la época de las migraciones de los pueblos, aunque a veces lo hacen de una forma alarmante y terrible, como en nuestros días, cuando lucen extraños atuendos, uniformes o abrigos de pieles blancas y vestidos de noche negros... Y todo eso lo guía una mano invisible.

Sigue junto a la ventana, mientras la nebulosa humedad nocturna y los copos de nieve se posan en su cara. Tal vez, piensa. Pero por ahora todo está muy oscuro.

Cierra la ventana. Continúa de pie, desorientado en la habitación en sombras, pensando que jamás se ha sentido tan solo. Pero a la vez nota sobre el hombro una mano, la misma que guía el vuelo de las gaviotas y los pasos del hombre. Y recorre la estancia oscura a ciegas, como si alguien guiara sus pasos.